LES CATHÉDRALES
de Madeleine Gagnon
est le cinq cent deuxième ouvrage
publié chez
VLB ÉDITEUR.

LES CATHÉDRALES SAUVAGES

autres ouvrages de Madeleine Gagnon

VLB ÉDITEUR

LUEUR, roman archéologique, 1979
AU CŒUR DE LA LETTRE, suite poétique, 1981
AUTOGRAPHIE 1, fictions (rétrospective 1974-1981), 1982
PENSÉES DU POÈME, poèmes, 1983
LA LETTRE INFINIE, récits, 1984
LES FLEURS DU CATALPA, poèmes, 1986. Prix du *Journal de Montréal*
AUTOGRAPHIE 2, Toute écriture est amour, essais, 1989
CHANT POUR UN QUÉBEC LOINTAIN, suite poétique, 1990. Prix du
    Gouverneur général du Canada
LA TERRE EST REMPLIE DE LANGAGE, suite poétique, 1993

ÉCRITS DES FORGES

L'INFANTE IMMÉMORIALE, suite poétique (en coédition avec La Table
    Rase), 1986
LES MOTS ONT LE TEMPS DE VENIR, avec Annie Cohen, textes et des-
    sins (en coédition avec La Table Rase), 1989

ÉDITIONS DU NOROÎT

FEMMEROS, poèmes avec dessins de Lucie Laporte, coll. «Écritures/Ra-
    tures», 1988

ÉDITIONS DE L'HEXAGONE

RETAILLES, poèmes et textes, avec Denise Boucher, coll. «Typo», 1989
    (réédition L'Étincelle, 1977)

ÉDITIONS CHRISTIAN BOURGOIS

LA VENUE À L'ÉCRITURE, essais, avec Hélène Cixous et Annie Leclerc,
    coll. «10/18», 1976

ÉDITIONS TROIS

L'INSTANCE ORPHELINE, petite lecture de *Mille Plateaux* de Gilles De-
    leuze et Félix Guattari, poésie, 1991

ÉDITIONS LE PRÉAMBULE

LA POÉSIE ACTUELLE QUÉBÉCOISE, essai, coll. «L'univers du discours», 1990

ÉDITIONS HMH

LES MORTS-VIVANTS, nouvelles, coll. «L'arbre», 1969
LE SOURIRE DE LA DAME DANS L'IMAGE, nouvelles de Madeleine Ga-
    gnon et d'Esther Rochon, coll. «Plus», 1991

ÉDITIONS PAULINES (JEUNESSE)

AU PAYS DES GOUTTES, récit poétique avec dessins de Mireille Lanctôt,
    1986
LES SAMEDIS FANTASTIQUES, nouvelles, coll. «Lectures VIP», 1986
UN MONDE GROUILLANT, nouvelles, coll. «Lectures VIP», 1988

Madeleine Gagnon

Les cathédrales sauvages

récit

vlb éditeur

VLB ÉDITEUR
Une division du groupe
Ville-Marie Littérature
1010, rue de la Gauchetière Est
Montréal, Québec
H2L 2N5
Tél.: (514) 523-1182
Télécopieur: (514) 282-7530

Maquette de la couverture: Nancy Desrosiers

Photo de la couverture: Madeleine Gagnon

DISTRIBUTEURS EXCLUSIFS:

- Pour le Québec, le Canada et les États-Unis:
  LES MESSAGERIES ADP*
  955, rue Amherst, Montréal H2L 3K4
  Tél.: (514) 523-1182
  Télécopieur: (514) 939-0406
  * Filiale de Sogides ltée

- Pour la Belgique et le Luxembourg:
  PRESSES DE BELGIQUE S.A.
  Boulevard de l'Europe, 117, B-1301 Wavre
  Tél.: (10) 41-59-66
         (10) 41-78-50
  Télécopieur: (10) 41-20-24

- Pour la Suisse:
  TRANSAT S.A.
  Route des Jeunes, 4 Ter, C.P. 125
  1211 Genève 26
  Tél.: (41-22) 342-77-40
  Télécopieur: (41-22) 343-46-46

- Pour la France et les autres pays:
  INTER FORUM
  Immeuble ORSUD, 3-5, avenue Galliéni, 94251 Gentilly Cédex
  Tél.: (1) 47.40.66.07
  Télécopieur: (1) 47.40.63.66
  Commandes:Tél.: (16) 38.32.71.00
                 Télécopieur: (16) 38.32.71.28
                 Télex: 780372

© VLB ÉDITEUR et Madeleine Gagnon, 1994
Dépôt légal — 1er trimestre 1994
Bibliothèque nationale du Québec
ISBN 2-89005-569-8

PREMIÈRE PARTIE

Voyage
au bout d'un mot

Genèse

Mes parents se tiennent la main et je nais. Mon père est en nage. Ma mère, elle souffre. C'est juillet. Il fait chaud. Ils ne célèbrent pas ma venue au monde au champagne. Mais je ne leur en veux pas. Ma mère se rendort après m'avoir contemplée. Mon père quitte la chambre, me laissant à ces femmes qui vaquent. Je ne les connais pas et savoure déjà les bienfaits de ma neuve solitude.

J'ai besoin d'espace et de temps pour moi. Ils me les laissent. Dans ce lieu besogneux, étrange et familier, un premier poème sans mots s'écrit tout seul. Comme tous les nouveau-nés, ça me prend au moins une minute pour réaliser que je suis là. Ce monde, je le trouve ouvert et vaste, et je ne panique pas. Je découvre même en moi une force incroyable et je lance une suite de cris.

Ceux-ci sont accueillis par des bravos, c'est bon signe. Je pourrai donc me servir librement de ce mystérieux instrument qui commence par un rond dans le visage, qui se termine dedans dieu sait où et qui fait des sons.

Après un constat de victoire, le médecin quitte la pièce à son tour en s'épongeant le front.

La sage-femme et les autres qui virevoltent célèbrent avec moi ma naissance.

Après cet événement merveilleux, d'autres se suivent, heureux et malheureux, qui ressemblent étrangement à ceux que vivent les êtres qui m'entourent.

Rien qui ne capte vraiment mon attention durant de nombreux mois. Rien qui ne soit digne d'un roman ou de quelque chose comme ça.

J'apprends à manger, comme à marcher et à parler. Tout va de soi. Rien, vraiment, qui exige des efforts de la pensée ou du corps. Je grandis et je ne le vois pas.

Mais aujourd'hui, j'ai quatre ans et ce que je vis est si extraordinaire qu'il me faut le raconter. Je suis dans la cuisine de notre grande maison. Tout est calme. C'est l'après-midi. Je joue avec mon lion sur roues. Sous l'armoire, il y a sa jungle où je le range toujours. Soudain, j'entends un fracas dehors, d'énormes bruits que je ne connais pas, des jambes qui courent, des cris essoufflés, des explosions d'un tonnerre qui viendrait de la terre et non du ciel et même des crépitements comme ceux de la fournaise à bois.

Le brouhaha vient de l'avant de la maison, côté rivière. Je me lève et accours vers la fenêtre. Ma mère, mes frères et sœurs et tous les voisins sont là, énervés.

À travers la fenêtre, j'aperçois une énorme boule de feu au-dessus de la rivière. Tout un ciel rouge sur la Matapédia. Je prononce ce mot que j'aime, Matapédia, je dis toutes les consonnes, je l'écris dans ma tête, c'est facile, c'est beau.

On dirait que la rivière est en feu et que des filets d'eau rouge touchent le ciel. Les filets dansent et crient.

Le moulin d'en face est en train de brûler, c'est ce que je leur entends dire. Je les vois regarder partout et nulle part. Ne pas voir ce qui est en train de me fasciner. Je ne sais pas encore que l'incendie peut détruire les choses. Je ne sais pas. Je regarde le feu.

Entre la rivière et notre maison, de biais, il y a celle des Hurons. Je les vois sortir tous et frapper par terre ou sur leurs casseroles accrochées au mur extérieur de leur maison. Le bébé hurle et tète sa mère alternativement. J'aimerais qu'ils se taisent tous pour entendre le feu.

Je veux sortir, traverser la passerelle, aller voir de près. Ma mère court derrière moi, m'agrippe par l'épaule et me dit de retourner dedans. «C'est trop dangereux pour une petite fille», ajoute-t-elle. Je m'en reviens, triste, et je les regarde s'en aller. Ils y vont tous. Sauf ma grand-mère et les tout-petits.

J'attends un peu, regarde les flammes, écoute les sons et quand la passerelle est libre, je m'y engage prudemment.

De l'autre côté, je décide de me rendre clandestinement, traversant les buissons qui longent la rive abrupte.

Entre les branches, j'aperçois un homme âgé que je vois tous les jours, mais dont j'ignore le nom. Il est accompagné de ma copine Marie toute nue. Lui n'est pas nu, il caresse Marie sur tout le corps et la regarde d'une drôle de façon. Il y a du feu dans ses yeux et il raconte des choses que je ne comprends pas. Je ne sais pas pourquoi, mais j'ai peur.

C'est le visage transformé de Marie qui me fait peur. C'est Marie et ce n'est plus Marie.

J'ai chaud, les flammes sont proches. Je brûle, j'ai peur. Je repars sans bruit et prends un petit sentier qui conduit au moulin.

J'arrive non loin de la scène et je me cache derrière une pile de planches pour ne pas être vue de ma mère. J'aime l'odeur du bois mêlée à celle de la fumée.

Tout le village est là. Il y en a qui se passent des seaux d'eau à la chaîne. D'autres lancent le dernier seau sur le feu. Ça fait un drôle de bruit, l'eau sur le feu. Le tuyau du moulin tombe et un pan de mur s'écroule avec lui. Je ne sais trop pourquoi, mais j'ai moins peur que tout à l'heure quand j'ai vu le visage de Marie.

Je vois la maison d'à côté qui brûle aussi. Une petite fille à la fenêtre s'agite en tous sens, hurle sans doute, mais on ne peut l'entendre. Je peux voir qu'elle pleure. Elle est prise là dans la maison et s'il arrive à la maison ce qui vient de se produire au moulin, elle va périr, c'est certain, elle le sait, moi aussi, elle m'a vue et on n'a pas de mots.

Je ne vois plus le feu et n'entends plus rien. Je vois les yeux de la petite fille et j'entends le silence de ses cris perdus.

Personne ne peut entrer dans la maison sans risquer de mourir. De ma cachette, c'est ce que je comprends.

Le curé arrive avec son surplis et son étole mauve. Il regarde la petite fille à la fenêtre, fait un grand signe de croix et asperge les lieux d'eau bénite avec son goupillon.

La maison brûle de fond en comble et on cherche après dans les débris et les cendres le corps de la petite fille. On ne le retrouve pas.

Tout est fini. J'entends des cris, j'entends des pleurs et je décide de m'en retourner à la maison.

Les gens défilent sur les lieux et dans leur cour, les Hurons se lamentent en chantant.

Le chemin de la Matapédia a changé. Sur le parcours, j'apprends pour la première fois que la beauté peut détruire aussi. Je comprends que la plus belle image de ma vie a tué la petite fille et effacé maison, moulin et tant de choses que j'aimais.

Sur la rivière, descendent deux canards qui n'ont rien vu. Je comprends aussi alors pourquoi les animaux ne parlent pas.

Le soleil va bientôt se coucher et les maisons se mirent dans l'eau. Le vieux monsieur et ma copine Marie ont disparu. Le sol est humide et tout chaud. Il y a encore des étincelles. Je les éteins avec mon pied.

Je descends le ravin, m'approche de l'eau qui est chaude elle aussi. On entend les derniers grésillements et des voix d'hommes étouffées. Il y en a qui courent encore partout et qui crient.

C'est le printemps. Une corneille vient de passer, affolée. Elle a fait un cri étrange elle aussi. Les autres oiseaux se sont tus. Ils ne bougent plus. Comme moi. Ils restent à rêver à leur façon la fin du feu. Je me dis qu'ils ont peut-être un peu peur. Comme moi.

Je ne verrai plus jamais le visage de Marie de la même façon. Ni celui du vieux monsieur. Ni ses yeux ni le corps de Marie. Je ne les regarderai plus jamais comme avant.

Le soir tombe. J'entends des branches qui craquent. J'entends des petits bruits d'animaux tout autour. Des animaux de toutes sortes. Des volants. Des rampants. Et ceux qui marchent doucement à quatre pattes en allant se coucher. Ils vont se coucher. Je devrais y aller moi aussi.

Les bruits de l'incendie se sont éteints tout à fait. Il ne reste que les petits animaux regagnant leurs tanières ou leurs nids et moi. Je n'ai pas sommeil. Ni peur. Je n'ai plus peur. J'entends le grand silence après la mort et la destruction. Je l'entends pour de bon et je n'ai plus peur. Je suis attentive au silence et à l'obscurité d'après le feu.

Ce qui était lumineux soudain n'a plus de formes. Ou plutôt, je vois maintenant la forme des ombres.

Je n'imagine aucune forme lumineuse. Je saisis l'ombre. Je comprends la noirceur. Et aucune illusion d'optique ne vient altérer ma vision des choses qui ne se voient plus jamais de la même façon.

Quelle impulsion me pousse, je ne sais, mais je pars. Je me retrouve en marche à gravir le ravin puis à longer le sentier le long de la rivière. Je me rends lentement à la passerelle. Je m'y engage. Je la traverse.

Je la traverse et ne me retourne pas. Puis, je me retourne et je vois. Je vois au beau milieu de la passerelle, là où elle est au plus haut, je vois une femme que je ne connais pas. Elle est belle. Très belle. Les reflets de la lune lui donnent des jambes qui touchent l'eau. On dirait qu'elle marche sur l'eau. Qu'elle suit l'eau.

Alors je vois son corps. Je vois son corps se pencher vers l'avant et l'ombre de la tête dépasse celle des pieds. Bientôt elle s'y confond, devient la même, la même femme dans l'eau.

En même temps, j'entends le bruit d'un corps qui chute dans l'eau. Je regarde. J'entends. Et je vois dans le rayon sans plus rien entendre une forme filer.

Histoire vraie

Elle avait dix ans au moment où se déroule le présent écrit. Je l'appellerai Marie, mais elle pourrait tout aussi bien se nommer Janine ou Céline, Raymonde ou Françoise et même Pauline, la petite sœur morte très jeune, la jeune sœur morte trop tôt. Elle s'appelait Marie. Et sa mère, Jeanne; et son père, Jean, à qui elle ressemblait comme «deux gouttes d'eau», disait-on.

C'était juillet. Dans la vallée de la rivière Matane, il faisait une telle chaleur cet après-midi-là qu'on ne savait plus très bien distinguer les lignes vagues du chemin poussiéreux des vagues tracées par les ondes chaudes du soleil. La chaleur s'entendait dans ses ondes, Marie l'aurait juré. La chaleur se goûtait à travers la poussière et les traits magnétiques du soleil, elle en était certaine. Tous les pores de sa peau recevaient le chaud.

Et pour la première fois, ce jour-là de juillet, elle avait entendu la chaleur. Cela avait vibré, des ondes que sa main touchait jusqu'aux oreilles et cela avait vibré, en descendant des deux tympans jusque dans les profondeurs du ventre. Elle avait entendu au-dedans d'elle l'écho de l'apparente immobilité sourde du temps.

Puis soudain, elle avait su que le chant des oiseaux, moineaux, merles, rossignols — corneilles aussi au loin et peut-être bien perdrix, canards, hérons et aigles —; elle avait compris que ce chant, soudain aussi ample que l'horizon des montagnes, cette symphonie sortait des corps tout vibrants de ces êtres fébriles habités par le chaud.

Elle était alors descendue à la rivière et avait vu que les poissons ne nageaient plus dans les hauteurs, calés qu'ils étaient au plus creux, dans les antres glacés des rochers souterrains. Elle avait entendu que les mille chuchotis de l'eau s'étaient eux aussi assourdis comme si toutes les ondes, les aériennes et les liquides, cet après-midi-là, s'épousaient.

Elle avait vu les hommes du moulin ne plus vouloir travailler et se diriger lentement, comme des fantômes on aurait dit, de la scierie qui ne crierait plus aujourd'hui jusqu'à leurs camps où ils s'étaient écrasés de tout leur long sur leurs petits lits de fer.

Les hommes avaient tous sombré dans la rêverie ou le sommeil, c'est ce que Marie imaginait à travers ce silence étrange rempli de petits sons; puis elle avait entendu quelques ronflements et la valse fatiguée des bourdons et des mouches ou encore le bruissement d'ailes des papillons qui ressemblait, avait-elle pensé, aux murmures des rayons du soleil, l'astre cause de tout ce chambardement dans l'ordre normal des choses d'un lundi de travail en plein juillet.

Assise sur une roche plate, les mollets caressés par le jeune courant, Marie avait longuement songé à cette chose importante qui lui était arrivée la semaine précédente alors qu'elle avait eu dix ans et il lui avait semblé que dix ans, c'était un âge rond et important, c'était comme vingt, ou trente, ou cinquante, ou même cent ans. Elle avait senti pour la première fois qu'elle n'était plus une enfant et pour la première fois aussi, elle croyait avoir compris l'étrange «toujours-jamais» de l'éternité et la rondeur du temps.

Mais aujourd'hui, n'en pouvant plus de penser à cette roue incompréhensible dans cette chaleur quasi insupportable de l'été, elle avait décidé de remonter tranquillement au moulin. Elle sentit une dernière fois les roches glacées et l'eau fraîche sur ses pieds nus, les essuya dans les herbes folles de la rive, remit ses souliers et remonta vers la route de terre poussiéreuse.

Elle avait croisé Midas qui, en chemin vers la cour à bois, lui avait dit — en ce temps-là, les adultes ne faisaient pas de longs discours aux enfants:

— Ton père veut te parler.

Comme ça n'était pas chose habituelle et que de toute façon, au père on obéissait sans même réfléchir, elle s'était précipitée, les joues en feu et les tresses ébouriffées dans le bureau de son père Jean, l'office, comme disaient les hommes, qu'ils prononçaient d'ailleurs «affice».

Elle le vit à sa table en train, comme toujours quand il ne lisait pas, de classer des comptes et de regarder la fiche des tallés. Levant à peine le regard, avec cet air qui le caractérisait, à la fois détaché et préoccupé, il lui avait dit simplement:

— Viens t'asseoir en attendant.

En attendant, ça voulait dire qu'il fallait se tenir là sans trop bouger, à regarder passer les minutes du temps sur la grande horloge poussiéreuse qui ressemblait à un visage de bonne femme dans la lune. Parfois, on avait l'impression qu'elle allait ouvrir la bouche et parler, mais cette fois-ci, elle souriait tout bonnement avec ses lèvres en aiguilles qui marquaient quatre heures moins vingt.

Dans ces moments privilégiés où s'entendaient tous les chuchotements des choses sur fond de grand silence pesant, Marie en profitait toujours pour bien scruter tous les menus objets qu'elle n'avait d'habitude pas le temps de regarder attentivement tellement ses journées étaient occupées. Elle voyait d'autant mieux aujourd'hui que l'orchestre des scies du moulin s'était tu comme s'étaient aussi arrêtés le ronron des moteurs des camions et des tracteurs de même que tous les sons bizarres des chevaux, des cochons et des vaches.

Seuls, les petits animaux, mouches, papillons, marin-
gouins, plus légers et plus alertes, pouvaient, comme
des plumes, se tenir encore en éveil sur la lourde
nappe de l'air. Même les chats avaient disparu, sans
doute dans quelque cave de terre fraîche où, coquins,
ils en profiteraient pour traquer les menues souris.

Marie regardait les mains de son père Jean tracer
de gros chiffres ronds sur les feuilles jaunies et
quadrillées. De grosses mains larges et douces comme
des pattes d'ours. La peau, rouge de soleil et de
grands vents, ressemblait à la chair de ses amis de la
rivière, truites et saumons. Les veines la conduisaient
de la rivière à tous les petits ruisseaux qui s'y jetaient
de la montagne ou encore à l'afflux des racines de
tous les érables, bouleaux, merisiers ou épinettes, tous
ces arbres grâce auxquels enfants et adultes pouvaient
manger et dormir, et parfois s'acheter des skis, des
pianos ou des livres. C'est avec les arbres que son
père les faisait vivre.

Perdue dans le grand large des mains de son père
Jean, de tous les affluents aux grandes contrées mé-
connues des fleuves et des mers, Marie se mit à nommer dans sa tête toutes les choses de la terre, animaux, végétaux, minéraux, tous les êtres, vivants pour
elle, qu'elle connaissait du fait même de leur donner
un nom. Elle disait: ardoise, argile, dictée, roche,
boue, ravin, fossé, cheval, maringouin, quand la voix
de son père Jean vint la tirer de sa rêverie:

— Tu connais le mot maximum?

Maximum? Non. Elle n'avait jamais entendu ce mot.

— C'est le contraire de minimum, lui dit son père
Jean.

Mais elle ne connaissait pas plus le mot minimum,
c'est ce qu'elle lui dit.

— Donner le maximum de toi-même, tu sais ce
que ça veut dire?

Marie n'en avait pas la moindre idée.

Elle aimait bien le son de ces mots. Elle les répétait avec son oreille du dedans en donnant à ses lèvres les formes qu'ils prenaient pour sortir dans l'air. Elle trouvait que ces mots sonnaient comme les notes du piano.

Accordée au tic tac de l'horloge, cette petite musique la ravissait comme l'enchantait la perspective d'assister à une autre leçon de choses de son père Jean qu'elle aimait tant et qu'elle voyait si peu à cause de toutes ces activités de la vie qui vous tiennent éloignés des êtres les plus proches. Et puis, elle était curieuse, intriguée: pourquoi l'avait-il fait venir aujourd'hui où on aurait dit que la terre ne tournait plus, tellement le chaud semblait l'avoir aplatie?

— Et le mot doctorat, tu le connais?

Le mot doctorat? Cela sembla si étrange à Marie. Un mot qui lui rappelait deux choses fort différentes: le docteur B., le vieux médecin de son village, Amqui, homme plein de sagesse et de bonté qu'elle aimait bien — ne l'avait-il pas mise au monde dans la grande chambre de ses parents et sauvée de très grands dangers, peut-être même de la mort, lorsqu'elle avait été malade de pneumonie, d'abcès à la gorge et de néphrite? — mais aussi, ce mot lui rappelait le rat, animal qu'elle détestait par-dessus tout, car il était méchant, mangeait le nez des enfants et n'avait aucune utilité reconnue.

— Non, je ne connais pas ce mot, avait tout simplement répondu Marie.

— Et l'université, tu sais ce que c'est?

Ah! oui, ça, l'université, elle en avait une petite idée. Elle savait, c'est son cousin Régis qui le lui avait dit, que tous les savants du monde, tous ceux qui avaient écrit dans l'*Encyclopédie de la jeunesse*, dans la *Bible* et dans tous ces livres qui l'impressionnaient et la ravissaient, tous les docteurs qui guérissaient étaient passés par là.

«Les universités sont toujours dans les grandes villes», avait dit son cousin. Ah! les grandes villes, comme elle avait hâte de les connaître, oui, c'est certain, elle s'était juré qu'elle ferait le tour du monde pour les voir toutes, depuis ce jour où, au bout de son plus long voyage, elle avait vu Rimouski qui l'avait tant émerveillée avec sa cathédrale et sa quantité incroyable de maisons au bord de l'immense fleuve qu'elle avait pris pour la fin du monde et pourtant, Rimouski, c'est une bien petite ville, avait ajouté son cousin Régis qui savait tant de choses. Oui, s'il fallait entrer dans les universités pour voir les villes, elle irait, ça c'est certain...

Alors, elle avait imaginé derrière ce mot, une maison énorme remplie de couloirs, de galeries, de pièces de toutes sortes regorgeant de trésors; une maison où coulaient des rivières pour y étudier les poissons; une maison mille fois plus grande que l'église de son village; où poussait une variété infinie de fleurs que les savants inventaient; des arbres aussi, des animaux, des bateaux, des pierres précieuses et des montagnes. Et des livres, des vallées de livres qui s'écrivaient dans le bonheur, elle-même en composerait autant que son imagination lui en dicterait. Puis des images fantastiques avec des salles de cinéma grandes comme la Seigneurie de la Matapédia.

C'est comme si Jean, le père, avait lu dans les pensées de Marie, car il dit, sans lever les yeux de ses papiers et laissant aller le crayon à dessiner une gigantesque maison:

— Tu vois, dans tous les domaines des connaissances, il y a des docteurs. Il y a des docteurs médecins, les seuls qui portent leur titre, mais les autres sont aussi importants, des docteurs avocats, géographes, historiens, archéologues... Est-ce que tu sais ce que c'est l'archéologie?

— Non, avait répondu Marie.

— C'est la science du début de tous les êtres vivants et de toutes les choses du monde.

J'aimerais bien connaître cette science, avait pensé Marie.

— Et la philosophie? avait-il ajouté... Quand tu as trouvé tous les mots qui nomment les choses, tu penses comment les faire tenir ensemble exactement comme les chiffres font tenir ensemble les planches de la cour à bois. Ça, c'est la sagesse des philosophes: faire tenir les choses en équilibre en pensant les mots qui les rassemblent...

Et le père Jean continua, portant son regard, de la fenêtre jusqu'au-delà de la rivière, à cet endroit à la fois vague et précis où les Appalaches disparaissent dans les nuages:

— Il y a même des docteurs en théologie, tu t'imagines, la science de Dieu. Quelle chance! Ces savants-là connaissent tout de ton Père du ciel et de sa religion terrestre... Ils peuvent même te démontrer par A plus B, pourquoi sur la terre, il n'y a qu'une seule vraie religion.

Par A plus B, c'était drôle, avait pensé Marie. Puis, elle demanda:

— C'est laquelle?

— Mais tu sais bien que c'est la nôtre, avait répondu son père Jean.

— Je voudrais que tu me lises «philosophie» dans ton dictionnaire, car ce qu'il avait dit de cette science intéressait vivement Marie.

Le père Jean s'était dirigé lentement vers la petite bibliothèque, on bougeait à peine sous cette chaleur, et avait déposé sur la table, face à lui, son plus gros livre.

La bibliothèque avait toujours fasciné Marie. Les rayonnages étaient faits de gros bois brut mais quelle beauté que ces livres qu'ils contenaient! Sur la tablette du bas, à portée des enfants, d'abord, bien en vue, la

Bible, le *Catéchisme illustré* et le gros dictionnaire qui les tenait debout. Puis, il y avait des tas de petits livres de mathématiques que Marie ne comprenait pas. Au-dessus, les meilleurs livres: les encyclopédies et les romans. Quelques livres de poésie que sa mère avait placés là et qu'elle leur récitait parfois quand le bonheur semblait l'avoir envahie de la tête aux pieds. Puis, plus haut, tous les livres scolaires que son père étudiait l'été dans ses temps libres car, peu instruit, il envoyait ses enfants dans les grandes écoles tout autant pour lui que pour eux, pour apprendre dans vos livres, disait-il, toutes ces choses extraordinaires que je n'ai pu connaître dans ma jeunesse. C'est ainsi que d'été en été, il avait patiemment et amoureusement compris tout ce que le dictionnaire lui avait d'abord enseigné: les langues les plus étranges et bouleversantes des mythologies grecques et latines, les histoires passionnantes et si bien écrites de Racine, de Shakespeare ou de Victor Hugo, les histoires politiques et les géographies, les questions essentielles de la théologie et de la philosophie, sans compter tout le reste qu'il semblait savoir par cœur, Marie n'en revenait pas: chimie, physique et même algèbre, il connaissait le monde dans toutes ses causes et raisons et comme il avait fait tous les cours de chacun de ses enfants, à la fin, il se révéla le plus savant d'eux tous.

De sa voix posée des grandes circonstances, sous «philosophie», il lut un tas de mots compliqués que Marie ne comprit pas bien et puis ceci, qui lui sembla aller de soi: «Sagesse de celui qui sait supporter avec fermeté les accidents de la vie.»

— Ça n'est pas tout à fait ce que je t'ai dit tout à l'heure, mais si tu réfléchis bien, tu verras, ça se rejoint.

Et Marie sut alors de façon définitive que lorsqu'elle avait perdu son chat dans un accident, elle

avait pu faire tenir ensemble les choses les plus mystérieuses de la vie avec le mot «mort» qui jusque-là
n'avait rien signifié.

L'horloge sonna quatre heures. Une mouche fatiguée se posa sur PHLOX, juste à côté de «philosophie»
et, avant de la balayer de la main pour refermer le dictionnaire, son père Jean dit encore:

— Tu vois, un docteur, c'est quelqu'un qui a choisi
un chemin pour connaître et qui va jusqu'au bout de
son chemin.

Il ajouta, songeur et comme émerveillé:

— On ne peut pas aller plus loin...

Marie avait vu alors un long chemin se terminant
où les choses ne peuvent même plus s'imaginer. Elle
savait qu'elle voudrait un jour donner le maximum
d'elle-même, qu'elle désirerait prendre le chemin qui
va jusqu'au bout des connaissances et qui fait comprendre tout, y compris les accidents. Et puis, comme
ça, ne pouvant expliquer comment cette pensée soudain lui était venue, elle dit:

— Moi, je voudrais écrire des livres, un jour.

— Eh bien, répondit son père Jean, tu seras docteur en écriture.

Et il ajouta, le ton solennel:

— Si tu es écrivain, honore ton nom. Honore ta signature. La signature d'un écrivain ou d'un savant est
aussi importante que celle d'un commerçant. Tu ne
peux pas plus faire de faux livres que de faux
chèques. Quand ton nom est public, tu es responsable
de toi et de tous ceux qui portent ton nom...

Il parla encore un peu. Marie capta des phrases
qu'elle emportait très loin dans ses rêveries. Elle pla-
çait dans sa tête et dans tout son corps, comme autant
d'objets précieux, les idées dans les mots.

Puis, Marie était retournée à la rivière. Elle aurait
aimé parler avec son frère Paul qui passait la journée à

pêcher dans les environs; Paul, son aîné d'un an qu'elle trouvait beaucoup plus savant qu'elle; ne connaissait-il pas, presque par cœur, toute l'*Encyclopédie de la jeunesse* et n'avait-il pas inventé, entre autres fabrications de son génie, un véritable projecteur d'images grâce auquel ils pouvaient aller au cinéma dans leur propre maison? Assise sur sa roche plate, les pieds dans l'eau fraîche et le corps baigné de sueur, elle se demandait bien, tout en se laissant dériver dans la douce somnolence du chaud, où son père Jean, qui n'avait pas fréquenté les grandes écoles, avait pu apprendre toutes ces choses qu'il lui enseignait.

Mais surtout, sans mettre tous les mots pourtant sur ses questions, elle se demandait d'où il tenait, de quel héritage, de quel mystérieux legs, cet amour fou pour les choses de la connaissance, de quel amour fou. Elle savait une chose précise, même si plus tard viendraient les mots pour la comprendre: de cet amour fou qu'elle partageait avec lui, de son amour pour lui naissait en elle, pour ne plus jamais s'effacer, le grand désir du savoir des choses animées et vivantes.

Oui, elle irait à l'université d'une grande ville. Oui, elle écrirait des livres comme elle les aimait, comme elle aimait tant les lire. Oui, elle honorerait sa signature, celle de son nom et du nom de son père et de tous ses ancêtres nés dans les bois et au bord des rivières depuis ces jours lointains où, dans leur fou désir de découvrir les contrées lointaines et inconnues, ils avaient quitté villes et villages d'un pays rempli de savants qui s'appelait la France.

À son insu, tellement elle était perdue dans ses pensées, l'orage s'était préparé. Marie fut ramenée à la réalité par le fracassement de l'éclair et le terrible grondement du tonnerre. Elle vit que le ciel et la terre étaient noirs et elle n'entendit plus aucun bruit de la terre, les petits animaux étant devenus soudain muets,

tous les sons habituels ayant été happés par l'immense
océan qui craquait dans le ciel et qui allait remplir de
ses eaux, pour qu'elles respirent, toutes les choses vivantes, même les pierres, car les pierres avaient une
âme et elles rêvaient, de cela, Marie était certaine.

Le livre de Samuel

Je ne sais pas encore souffrir comme il faudrait

RAINER MARIA RILKE,
Le Livre de la pauvreté et de la mort

Voici ce que la fille secrète de Samuel m'a raconté: «Un jour, ma mère a cessé de me parler, car elle est morte. Ce jour-là, je suis sortie de l'enfance par la grande porte éternelle du silence. J'avais onze ans.

«Je ne savais plus où ma mère s'en allait et dans le même temps, j'apprenais d'où je venais.

«C'est alors que je fis dans ma tête un long voyage vers l'inconnu d'abord et ensuite vers le plus translucide connu et ainsi, à travers ses cheveux précocement blanchis sur l'oreiller défait, je sus comment lire la vie.

«Ainsi j'appris l'écriture.

«Dans tous les recoins de ma tête, quand je cherche les images qui viennent de la vie et s'en vont vers la mort, désormais je les trouve.

«Ma mère de onze ans, c'est comme si je l'avais connue tout le temps et je l'aime.

«Je l'ai connue avant, je l'ai connue après et c'est toujours dans le présent que mon âme plonge en elle et je vole.

«Depuis cet instant-là où elle venait juste d'être et n'était déjà plus, je trouve facile de redescendre ou remonter le temps.

«Par exemple, je me souviens de cet instant précis mieux qu'hier qui a passé comme un trou dans le temps.

«Par elle, j'appris que le temps peut nous échapper ou, au contraire, pour toujours en nous se fixer.

«Le temps peut être flou ou fixe, c'est la mort de ma mère qui me l'a enseigné.

«Par elle, dans l'espace vaste au-dedans que son départ avait créé, je sus que le temps n'est rien d'autre que la mémoire du temps.

«J'appris aussi que tout espace peut s'évanouir et disparaître comme s'est dissous le corps de ma mère. Depuis qu'a disparu le corps de ma mère, que les galaxies même se dissolvent ne me surprend pas.

«Elle avait refermé le livre qui reposait sur son ventre comme une maison barrée, elle caressait la page couverture comme si d'abord sa main quittait distraitement la vie et son regard plongé dans le mien, ce regard, se rivait, disait tout pour rester.

«Son regard m'implorait comme une supplique et je lançais le mien à tous les dieux inconnus, vers ces lointains étrangers mon désir de prière pour que reste ma mère, en vie à mes côtés.

«Elle avait lentement placé son autre main devant sa bouche, ses doigts s'étaient mués en forme de bateau, puis elle avait soufflé à travers eux un tout petit baiser vers moi, dans le petit baiser vogua son dernier souffle, le sourire s'éteignit, la lumière des yeux, je partis avec elle jusqu'à la rive obscure où l'on accoste parfois pour voir les mystères et entendre la nuit.

«Quand il y a de la mort autour, le petit baiser de ma mère revient me hanter, l'amour renaît alors et je veille.

«Parfois, dans les temps brefs et brusques, je laisse couler en moi les mots fluides de maman et j'entre lentement dans le temps lisse et doux. Et parfois, je m'endors au son de ses mots.

«Parfois, je traverse tous les couloirs de l'oubli, entre veille et sommeil et je revois plein de petites phrases accrochées çà et là aux parois vétustes. Je les vois, puis soudain les entends et me dis: "Il y a longtemps, il y a si longtemps, c'était de son vivant."

«Parfois, je n'y pense plus. Quand je sors étonnée de cette vacuité, c'est comme si l'éternité en personne m'avait abandonnée, je m'entends dire, sourdement: "Ce vide, cet oubli, c'est comme avant de naître et c'est comme jamais."

«Souvent, je me souviens des mots qu'elle m'a dits juste avant de ne plus parler. Chaque phrase résonne dans ma voix souterraine, chaque phrase devenue mienne au fil des ans, j'ai porté les mots d'agonie de ma mère comme on porte un enfant qui resterait toujours dans le ventre, enfermé.

«Souvent, les phrases se contractent doucement et cognent à la porte. J'ouvre alors le tympan et les laisse venir une à une au-dedans. Elles défilent le long des parois, reprennent seules leur place et leur rythme d'antan.

«Souvent, je suis en promenade dans les phrases de ma mère, je ne vois plus le temps, j'entends son agonie de mots, je me réveille et je pense: "C'est comme maintenant."

«Maintenant, j'ai moi-même une maladie qui très lentement m'emporte vers l'autre rive et pas de fille pour entendre mon testament de mots.

«Sur l'autre rive, peut-être que maman sera, peut-être qu'elle n'y sera pas. Si elle y est, nous n'aurons plus de bouches, ni d'yeux ni d'oreilles, nos corps seront défaits et nous entrerons toutes deux dans la transparence des regards et des mots éternels.

«Maintenant, j'ai plus que jamais la mémoire de ma mère, ma fille est l'écriture et par elle je fixe mes mots dans le temps d'ici.

«Maintenant, mon espace est ouvert, un livre n'est pas encore refermé sur mon ventre, maintenant un livre à venir contient à la fois ma mère et mon enfant.

«Maintenant, ses mots cognent si fort à la porte du tympan, ils veulent sortir et rejoindre les chapitres du livre à venir. Maintenant, ses mots d'agonie ont luxé tout mon corps, comme la terre entière, les volcans.

«Les mots vivants de ma terre-maman implosent et implorent leur sortie sur la terre du livre.

«Elle m'avait d'abord dit: "Je vais te parler des amours de Samuel."

«Samuel, c'était mon père et son amant.

«Pendant des années, j'entendis "les amours de Samuel" comme on pense un roman.

«Le Samuel de ma mère n'était pas le même que le mien. Sur Samuel, nous n'avions pas le même roman.

«C'est lorsqu'elle m'a raconté le sien que mon roman a commencé véritablement de s'écrire. Jusque-là, je n'avais que des bribes, des fragments flous.

«J'aurais pu en rester à mes bribes, j'eusse été un peu plus rêveuse et poète et tout aurait été aussi bien. Je n'aurais ni mieux ni plus mal vécu, les choses me seraient demeurées juste un peu plus mystérieuses, mais cela ne m'eût pas empêchée de me diriger lentement vers l'autre rive, comme maintenant.

«Il est vrai toutefois, je le dis simplement, que les deux romans de Samuel — et le mien serait sans doute mort-né sans celui de maman — me donnent comme un sentiment de plénitude de l'histoire accomplie, une espèce de sérénité dans cette lente traversée vers l'autre bord de la vie. Nos deux romans bien racontés sont déjà de l'outre-vie qui me rend acceptable le rien possible de l'après.

«Cela ne m'empêche pas, certains jours où le temps bute, d'éprouver un fort sentiment de révolte devant l'absurdité de la maladie et de la mort. Mais je n'ai pas envie de crier "c'est absurde", m'y arrêtant et fixant le mur sur lequel en vain je cognerais ma tête et pleurerais mes lamentations, j'ai plutôt le désir de traverser les apparences du temps fixe et de l'espace stable, inscrivant dans un rouleau d'immortalité les récits de maman et de moi, les amours de Samuel par lesquelles il nous fut donné à toutes deux d'apprendre, sur le terreau du même amour, le beau malheur et le fou bonheur d'aimer.

«Alors, quand le temps chute comme aujourd'hui et que je me trouve enfermée dans une bulle opaque où rien n'oscille, j'entre dans la démesure de l'instant, la barrière de la mort n'est plus, Samuel et maman sont là avec moi en chair et en os, nous sommes dans la vie normale de tous les jours, nous rions et parlons et sommes fondus dans la banalité des choses, nous sommes innocents, ne savons pas encore ce qui nous attend, ignorons que plus tard, un jour et une nuit, d'autres jours et d'autres nuits, nous ferons tout ce qu'il faut pour forcer notre destin, briser le cours normal d'une vie sans heurts et sans soucis.

«Alors, nous nous parlons dans la simplicité des choses, c'est l'hiver ou l'été, il fait chaud ou froid, on ne s'inquiète de rien, on est dedans la maison belle, le soleil entre à pleines fenêtres, on ne sait pas encore ce qui nous attend, le chat se promène et ne dit jamais rien, on va manger bientôt, c'est bon, puis dormir sans cauchemars comme tout autour dort la terre, on va se lever demain matin sans penser "un autre jour encore", on ne réfléchit pas au temps qui passe trop lourd ou trop vite, on est heureux, mais on ne dit même pas ce mot, aucune mort encore n'a sonné à notre porte, j'ai cinq ans.

«Si je sors de la bulle, c'est pour voir l'après, entrer dans la rupture du temps de la demeure douce, rupture des eaux par laquelle il me fut donné de voir un ventre se tordre et expulser le corps même de la mort dans les eaux de l'amour.

«Si je sors de la bulle, nous avons tous trois perdu notre innocence, Samuel, mon père et l'amant de ma mère, Samuel, mon père et mon amant, Samuel, maman et moi.

«Si je sors de la bulle, le chat ne se promène plus en ne disant rien, il en a trop vu lui aussi, il y a des limites à la douce insouciance d'un chat, il y a des éclatements soudains de l'harmonieuse inconscience, il y a le regard de mon chat devenu hagard, qui s'en va, il y a mon chat que je vois devenir fou, il fonce vers la porte, file dans le petit sentier, disparaît dans les espaces perdus, si je sors de la bulle, il y a mon chat que je vois s'en aller sans jamais revenir, j'ai huit ans.

«Je retourne dans la bulle. Je n'ai pas encore de chat auquel je m'attacherai tant, je ne sais donc rien des deuils et du détachement, je suis dans la cuisine, je joue et regarde maman, maman est une beauté regardant Samuel qui lit, jette un coup d'œil et qui sourit, ils vont s'aimer, je ne sais pas ce mot, je suis dedans, je le vois, je l'entends, j'ai quatre ans.

«Puis j'entends, comme venant d'un autre monde, le cri de maman qui voit mon ventre déchiré et mon âme partie aux quatre vents, je vois Samuel perdu qui hurle, s'en va et ne reviendra plus, j'ai sept ans.

«Après, c'est la vie de douleur qui s'installe entre maman et moi, c'est la fin d'un long rêve, le début d'une nuit hantée où l'on apprend à compter les secondes comme s'il fallait s'arrêter à chaque goutte d'une pluie infinie, chaque étoile tombée dans une noire neige et chaque grain de sable dans un désert sans bornes où l'on va seul et où, pas à pas, on prend en vain la mesure d'une si longue marche.

«Après, c'est le dur labeur de s'aimer plus loin que la douleur, maman et moi.

«Après, c'est pour toutes deux le souvenir secret de Samuel qui revient parfois comme un fantôme, puis qui s'éclipse et disparaît, laissant entre nous le sillon sec du silence sur lequel rien ne pourra germer jamais. Rien. Jusqu'aux mots d'agonie de maman qui ont ouvert les écluses des miens, jusqu'à ce flot de paroles dites qui ont recréé à chacune nos vies, par son récit des amours de Samuel ouvrant le mien.

«Après, c'est maintenant.

«Maintenant où le temps presse, me file entre les doigts, avec ma plume, j'essaie de le saisir, de l'arrêter un peu, pas trop, juste ce qu'il me faut pour fixer dans un roman la vie de beautés et de tumultes que nous avions tissée, maman, Samuel et moi; ainsi ne mourra-t-elle pas, cette vie; ainsi, après ma propre mort, restera-t-elle entière, imprimée, alignée sur les pages d'un livre et deviendra-t-elle en quelque sorte immortelle — je ne dis pas éternelle, l'éternité étant un trop grand mystère —, du moins ne disparaîtra-t-elle pas complètement avec moi, mais au fond, quand j'y pense, peut-être serai-je plus immortelle — et, qui sait, éternelle? — que mon roman? Peut-être les pages seront-elles détruites avec toute la planète (et toutes les galaxies et toutes les choses connues) et, que pour une raison tout à fait inexplicable (du moins par moi), je demeurerais plus que tous les livres, je serais plus immortelle-éternelle que mon roman? Peut-être.

«Tout est si incertain.

«Depuis la mort de maman, le doute a pris de telles dimensions. C'est comme si j'avais inventé et détruit en même temps tous les dieux, tout le dieu, Dieu en personne. Sans parler de la disparition brutale de mon père Samuel. D'abord, je n'ai pas compris. Puis, lentement (surtout après la mort de maman), ses raisons

ont commencé à signifier quelque chose pour moi —
avant, je ne comprenais rien, ni d'avant son départ ni
d'après —, ses raisons ont commencé à me dire que je
commençais à comprendre des choses qui étaient si
éloignées de mes raisons à moi; Samuel m'ouvrit à
l'étrange, à l'inconnu, à la déroute — comment comprendre ce que mon père me fit, lui qui m'a tant aimée?

«Maintenant, tout mon roman se trouve noué dans
cette question. Je l'écrirai avant de partir.»

Le manuscrit

C'est un fragment et il le restera, cet avenir est ce qui lui donne son plus grand
achèvement.

Franz Kafka

Ceci est un roman. J'eus l'idée, il y a quelque
temps, en fait, c'est en 1983 qu'elle me vint, l'idée
de raconter une histoire, une vraie, avec un début et
une fin, et je voyais, au beau milieu, un gouffre dans
lequel se tenait une femme — était-ce moi la femme? —
tout était là. Il me fallait donc commencer, répondre
du milieu, poursuivre et terminer, sinon rien ne serait
clair et la clarté n'est-elle pas essentielle à qui veut
suivre sa route, quelle qu'elle soit?

«C'était un roman», me disais-je. J'avais beau penser
à cette histoire dans tous les sens, j'avais beau ne plus
y penser, c'était pareil, elle s'imposait, elle passait et
repassait, elle insistait. Elle était là.

Elle était là. On l'aurait dit incandescente sur la mémoire du vide, celle qui est chargée d'oublis, de
blancs de tous les jours, elle se tenait sur la mémoire
de chaque saison, je ne pouvais passer outre, je ne
pouvais plus faire semblant. À tort ou à raison, sait-on
jamais, je l'imaginais comme une bouée de survie,
pour elle comme pour moi.

Cette histoire inconnue se montrait comme une
bouée de survie. Et pas plus tard que la veille, la veille

de son apparition, je n'y pensais pas et ne savais pas le matin même que, par elle, les choses se précipiteraient de cette façon. En fait, je n'y pensais pas du tout, j'avais l'esprit, comme toujours, ailleurs, j'étais dans la vie normale de tous les jours, du moins c'est ce que je croyais, mais y a-t-il une vie normale et les jours comme les autres existent-ils? Quoi qu'il en soit, je vaquais à mes tâches, le plus souvent je rêvais, et soudain tout me sembla si futile, du plus banal au plus merveilleux, tout se recouvrit d'un halo gris, opaque, et rien d'autre que cette histoire ne me sollicita.

Quand je pense qu'avant ce jour-là, j'avais osé concevoir un autre livre, poème ou prose, je concevais un livre, l'unique, le vrai, l'ultime, venu d'un coup s'échouer devant le destin d'un seul récit. J'étais étonnée.

La vie est faite de surprises qui ont le don de ne pas s'annoncer.

❑

Toute cette histoire, dieu sait si je n'ai pas couru après, est arrivée totale, du début à la fin, et dans l'instant. Voilà, aussi bien le dire tout de suite: c'est ce fameux manuscrit perdu que j'ai trouvé. Fameux pour moi, en tout cas. L'objet perdu a le don de devenir immédiatement propriété de qui le trouve. C'est comme un cadeau. Du seul fait qu'il passe d'une main à l'autre, il change de propriétaire. Ce cahier trouvé est un cadeau. Cadeau pour moi, en tout cas. Si je ne l'avais pas trouvé, je n'aurais jamais commencé ce roman. J'aurais poursuivi bien entendu, écrit des poèmes ou d'autres récits, mais j'eusse écrit tout autrement. Et d'écrire autrement, c'est toujours un cadeau.

❑

D'emblée, je fus prise par l'intrigue, le suspense. Sans même le lire, je fus captée par le mystère de ce manuscrit. Qui avait laissé là, laissé tomber ce lourd cahier (je n'entrerai pas dans la description physique de l'objet, il était plutôt neutre, noir et gris, avec des pages non lignées remplies de soulignages, noirs aussi)? Qui l'avait donc perdu et donné? Et pourquoi là, à cet endroit précis, là où je marchais encore rêveuse, à trois heures de l'après-midi, en plein soleil sur la neige sèche et noire — un lundi neutre comme tous les lundis?

Il me faudrait partir du lieu pour remonter à la source, c'est ce que je m'étais dit: l'auteur, sa vie, son œuvre ou quelque chose comme ça. Peut-être que cette vie d'œuvre ne se réduisait qu'à ce manuscrit ou peut-être encore que ce manuscrit fut un pur accident dans cette vie-là, mais y a-t-il des accidents purs de tout? Au hasard des questions posées, les mains sur le cahier à peine détrempé, je le pris tout de même, l'ouvris, le feuilletai du début à la fin, le refermai et décidai de l'emporter avec moi, dans ma maison.

Mais avant, je n'oublierai pas la rue qui, d'un coup, s'était vidée, ni le trafic d'humains et d'autos qui s'était arrêté net, comme une bobine de film qui se serait cassée; éclipsés, immobilisés, tous. Puis disparus.

Il n'y avait, il n'y eut que ce manuscrit, ce cahier noir et gris soudain brillant dans la neige sèche et noire — comme une pierre de Bologne déposée là, ou égarée, perdue en pleine rue Papineau de Montréal, éclipsant tout le reste, humains ou choses, dans ce lieu qui n'en est un ni d'archives ni de monuments, qui n'a qu'un nom pour soutien, lieu de passage d'un quartier à un autre, carrefour d'exils à la petite semaine, pour des êtres venus de partout, en attente de repartir ailleurs ou n'attendant rien, avec une conscience que le plus proche quartier est quand même lointain, jamais plus le lieu de l'origine, pas tout à fait la vraie terre de partance et d'exil non plus, à moins de découvrir en plein milieu de la rue, ce fragment exilé et ce morceau d'ailleurs, d'une terre reconnue toujours inhabitée et de redonner, ne fût-ce qu'un instant, sa gloire de lundi aux habitants d'ici.

Dans ce vide soudain de la rue, le monde se remplissait du souvenir des êtres éclipsés par la magie de cet unique objet.

À lui seul, le livre clairement parlait de leur disparition.

Une seule image avait raison de leur existence mais il fallait, d'une certaine façon, leur passage à l'ombre pour qu'elle parle et puisse se prendre dans les mains, dans les bras, sur le cœur et le ventre — et dedans, que soit serré, emporté, caressé jusqu'à ce que l'ouvrent les doigts, le feuillettent et, qui sait, le comprennent, le livre échoué là qui m'était destiné.

❏

Était-ce un livre, vraiment — ou, l'aurais-je rêvé? Non, mais au retour je me souviens d'un autre récit croisé, celui du vieux monsieur sans jambes, perdu sur cette route, égaré, loin de sa maison: «Où j'habite, madame? me demanda-t-il, où j'habite?» Puis il dit, à travers des sanglots étouffés, avait-il jamais pris l'habitude de pleurer, il dit qu'il avait perdu son chien: «Il est mort il y a deux semaines, ajouta-t-il, il y a deux semaines, tué et je n'en dis pas plus, je n'en dis pas plus, répétait-il, c'est pire que mes jambes, tué, je ne dis plus rien, c'est fini, les pires chiens sont sur deux pattes, le mien était meilleur que tous ceux-là, écrivez-le dans votre grand livre», il regardait, fixait mon manuscrit.

Je poursuivis ma route. Le livre fut égaré, le chien perdu, tué. Qui sont ceux-là? Je rêvais d'un exil qui prendrait fin aujourd'hui, ce lundi.

Écrire alors. L'écrire.

Que l'objet soit trouvé sur la rue ou bien dans sa maison, au début on n'en sait rien, puis ça devient l'urgence, la nécessité, l'objet se plie à son destin, se dessine une finalité, se détache de son corps d'origine, se conçoit à distance, sorti de soi ou échoué là, sur une rue perdue ou bien ailleurs, prend forme tout seul, pousse, crie, grandit, vieillit et meurt comme il est venu, mystérieux quant à ses attaches, indéchiffrable dans son trajet avec la mémoire seule, fugace, de ses déroutes, parfois.

❏

C'est un livre. Il s'agit d'un livre. Assez attendu. Combien d'années déjà? Quand on a fini de grandir, cinq ans, c'est en fait bien peu. Il y a un temps pour tout. Une agglomération d'images, de sensations. Des *flashes* et des idées. Des personnages. Tous ceux-là qui ont couru dans les pages du manuscrit.

Parfois, le lisant — je mis tout ce temps —, il m'arrivait de noter en passant des phrases complètes (rarement celles qui étaient soulignées par le scripteur, la scriptrice, devrais-je dire) qui se tenaient seules dans le vide vaste, attendant de se raccrocher à la corde des mots, les miens. Des mots qui désormais se mettaient à glisser, ne partaient plus dans tous les sens, à tous vents et qui semblaient ne plus craindre de se retrouver plongés dans cette contrée d'égarement et d'abîme d'où ils venaient.

Les mots remontaient un à un, se glissaient sans vertige sur la corde et gravissaient patiemment sous mes yeux la falaise du livre.

Les mots du manuscrit se tenaient seuls sur le garde-fou du langage.

❏

Parmi ces mots, il y avait cette petite histoire que je citerai textuellement. Les guillemets ne sont pas nécessaires puisque je le dis.

C'est un appel qui a tout déclenché. Un appel de nuit. Il disait, une voix neutre d'homme disait: «Immédiatement, immédiatement, viens. C'est urgent. Nous t'attendons. Nous t'envoyons un avion. À l'arrivée, ne crains rien.»

Qui était cet homme et qui étaient-ils, ceux-là qui m'attendaient et pourquoi? Et qui suis-je, moi? Il ajoutait: «Une lettre suivra, une lettre de nuit.»

Trop de blancs et de mystères pour moi. Et trop de doutes. J'étais loin de m'imaginer partir. La lettre du scripteur inconnu suivit. Un tatoueur de l'ombre. Une invitation vive avec son cortège de promesses opaques. Une sonorité étrangère, un timbre neutre, résonnant dans ce lit cavernal où, cette nuit-là, je venais lire, dormir, et rêver. Je n'étais plus chez moi. Seul, au loin, un chien jappait, puis des sirènes d'ambulance, de flics, de pompiers, nouveaux loups dans l'effroi des villes. Avant l'appel, je sombrais dans ce concert nocturne, puis, ces notes rauques enveloppées dans la soie du vent lisse, heureusement, je m'endormis, rêvai encore.

À l'aube, je pensai à ce qu'il avait dit, je l'appellerai Adam pour sa voix neutre, originelle: «Les autres sont là, t'attendent à mes côtés, leur désir se fait pressant, tu sais, prends l'avion, après la catastrophe, nous serons si seuls à consoler nos enfants.» Quelle catastrophe? Où sont les enfants? Il ne répondit pas.

C'était donc ça! À ce point vrai qu'il me faudrait partir et tout abandonner pour un temps, même mon manuscrit: pour savoir, pour comprendre la catastrophe annoncée, pour rencontrer ceux-là qui semblent l'avoir déjà saisie et pour percer l'énigme de la lettre de nuit d'Adam. Celle-ci, je ne l'écrirai pas. Je l'emporte avec moi.

Où sont les enfants?

Plier bagage n'est pas toujours facile. Laisser meubles, plantes, livres, chats et tout le reste ne va pas de soi. Et les êtres? Ceux qui sont là, tout près, bien en chair et en os, comment les quitter? Leur glisser une lettre d'adieu, fût-il temporaire? Une porte fermée sur les portes du rêve? Une sentinelle de papier qui ne cesserait de veiller? Et l'amour? Et le travail? Qui gagnera ma vie pendant ce temps? Il me faudra faire vite. Glisser comme les mots sur les ailes du temps. Franchir tous les espaces à la vitesse du songe. Sauter comme celui-ci quand il le faut. Laisser des blancs. Courir entre les pages. Consommer les chapitres comme une révision finale avant l'ultime saut.

Où sont les enfants?

❑

Un manuscrit ne fait pas forcément un livre. Mais c'est tout ce que j'ai. Et dedans se trouve un roman. Écrit dans un cahier noir et gris. Les feuilles sont grandes, lisses, blanches. Ça glisse. Avec des soulignages noirs qui ne sont pas nécessairement ce que je retiens. J'aime le papier. Et l'encre. Et le dessin des mots. J'aime la calligraphie. J'aurais désiré reproduire tel quel ce manuscrit, mais je ne peux pas. Les fragments s'imposent, sont plus forts que tout. Entre eux, se déroule la fiction. Là donc se tient le roman. Un peu dans le récit du manuscrit, un peu au-dehors; entre la scription du cahier et la mienne, surgit le roman.

Si je me donne le souci d'écrire cette histoire, c'est que d'elle j'apprends, j'apprendrai. Le souci est loin d'être une peine ou un chagrin. Il contient un puits de bonheurs de la découverte à chaque tournant. Ainsi, lorsque je tournais lentement les pages du manuscrit, de retour chez moi, je me trouvai dans l'étonnement.

À réécrire quelques-unes d'entre elles, c'est ravie que je me trouve.

❑

À le relire aujourd'hui — nous sommes en mai, il fait un temps superbe, des hordes d'oiseaux migrateurs passent sur une route, juste au-dessus de ma maison, il est quatre heures de l'après-midi, c'est jeudi — ce texte parcouru une première fois un lundi froid d'hiver, en 1983 (je l'ai relu tant et tant), me capte surtout dans son dernier fragment. Elle a dû l'écrire durant les jours, ou nuits, qui suivirent la réception de l'appel et de la lettre de nuit d'Adam, juste avant son départ.

Ce qui m'étonne, c'est qu'elle ne mentionne ni avion ni voyage en taxi vers un aéroport. Elle donne même l'impression de s'être envolée toute seule. À bien y penser, cela ne surprend pas plus qu'il ne faut. Avec l'écriture, tout est tellement possible, c'est comme les rêves, on peut y voler tout à son aise, prendre le jour pour la nuit, le noir peut être blanc, deux et deux égaler cinq, faire mourir les êtres les plus chers et même ressusciter les ennemis.

Je citerai donc presque en son entier ce fragment, pas la toute fin évidemment, pour le suspense.

La porte s'est refermée. Je me trouvai dehors et me doutais bien que je ne reviendrais pas dedans de sitôt. Ma maison m'avait expulsée, on aurait dit, propulsée de façon si soudaine et inattendue que je ne pouvais comprendre, en cet instant où mes jambes étaient clouées au seuil comme des aiguilles qui ne feraient jamais plus bouger le temps, je ne pouvais concevoir les raisons de mon éjection (puisque n'était pas encore réfléchie et prise la décision de ré-

pondre à l'appel d'Adam et des siens), mais une chose me semblait certaine, la seule: je ne devais pas me retourner ni essayer désespérément de forcer cette porte barrée (Où se trouvait d'ailleurs la clef? Je n'en savais rien!), je devais descendre les quelques marches qui me séparaient de la route, mettre un pas devant l'autre, avancer, me rendre au chemin, partir.

Bien sûr, le désir était là, très fort en moi, de contourner la maison, longer la ruelle, au sud, passer du côté du soleil couchant et caresser la clôture du petit jardin, toucher les feuilles de l'arbre, mon bouleau blanc, humer les herbes, entendre une dernière fois peut-être moineaux, hirondelles, guêpes et chats et surtout regarder, frôler seulement de l'œil ce que les fenêtres donnaient encore à voir de cette maison dans laquelle tant de choses avaient été vécues et auxquelles maintenant, oui, et malgré ce fort désir de demeurer, je devais, au moins pour un temps, mais indéterminé, faire mes adieux.

Personne ne m'avait mise à la porte puisque personne ne se trouvait dedans au moment de mon expulsion. Non, c'était moi, moi seule qui m'étais donné congé, moi seule qui, par la force d'un destin qu'il me faudrait tenter de saisir, et je prendrais tout le temps qu'il faut, longue promenade ou voyage illimité, moi toute seule qui m'étais mise en déroute.

J'étais sortie en quelque sorte à mon insu.
La lettre de nuit accéléra sans doute le processus de mûrissement d'une décision déjà prise au-dedans.
Comment savoir?
La lettre de nuit d'Adam ne fut sans doute qu'un prétexte. Irai-je d'ailleurs les rencontrer? Je me sens si loin de ce que j'en disais avant-hier.
Où d'ailleurs se tiennent-ils?

Où sont les enfants?

❑

Ne sachant trop ce qui m'arrive à moi, je m'accroche aux fragments récitatifs de cette scriptrice, faisant comme si je ne connaissais pas l'issue de son voyage, ni qui elle est, ni comment elle est partie, où et pourquoi. Il n'y a rien de plus faux. Alors, pourquoi l'énigme? Pourquoi ne pas avoir dit, dit tout de suite que je l'ai retrouvée, je sais ce qui s'est passé pendant son voyage et même après, au retour. Ça n'est pas que je veuille mentir, fabriquer pour rien des mystères, mais une forme m'attire et me retient, depuis le début de ce roman — et même longtemps avant.

Ce n'est pas que je craigne l'infidélité au manuscrit, ni que je veuille à tout prix ne pas trahir son style fragmenté, par un récit au second degré qui nivellerait ce qui m'a le plus touchée à sa lecture. Lors donc que j'eus parcouru tout le cahier, je recueillis en moi des pensées qui n'avaient jamais jusque-là effleuré ma conscience et je vis bien qu'en moi, elles n'avaient pas encore d'assises, mais elles venaient se greffer à tout ce qu'il y avait de flou dans mon propre entendement, elles devinrent flottantes, s'accrochant à toutes les sensations, images ou idées qui n'étaient jamais parvenues à se fixer, se souder au reste, dans la débordante vasque de ma propre mémoire.

C'est donc par fidélité à moi-même que je ne révèle pas ce qui se dissout dès son apparition.

Cependant que je m'accrochais à l'idée du roman, le génie de l'artiste qui avait laissé choir son livre virtuel palpitait en moi, ses mots couraient sous ma peau. Dans ma vie, j'avais lu de grands livres, mais ce manuscrit trouvé me parlait plus que tout autre et je ne savais trop pourquoi. Si, je sais un peu. Par ses mots effilochés, je me sentais naître à la conscience d'un monde à la fois languissant et tumultueux qui faisait vibrer en moi des fibres jusque-là tues et du même coup pointait la vanité de certains désirs, certaines passions rivées à leur destin inéluctable, à leur espoir futile d'accomplissement dans l'épaisseur de la réalité.

❑

La seule chose que je doive tenir secrète, c'est son nom. Tel est son vœu, exprimé on ne peut plus clairement lors d'une rencontre, d'ailleurs assez récente. Non pas qu'elle se souciât d'être humble, mais elle a ses raisons, je les respecte et mon souci à moi, je crois l'avoir indiqué, c'est la fidélité, j'entends par là, une espèce d'adéquation entre la forme écrite du manuscrit et celle de ce présent récit. Dans cette adéquation à la forme se trouve pour moi le roman. Je suis ce roman toujours à venir, toujours dans le seul désir de son déroulement, sans prévisions; le matériau, sous les yeux, me suffit bien et ce seul présent m'agrée.

❑

Le soir de ma découverte du manuscrit, j'ai fait l'un des rêves les plus importants de ma vie, de ceux qui vous suivent partout et à tout âge, qui vous reviennent, par bribes, aux moments les plus inattendus, qui vous collent à l'âme, comme la sueur à la peau, ce soir-là, dans mon tout premier sommeil, j'ai fait «le rêve des trois coffrets». Il serait vain de le raconter, les récits de rêves sont, hormis d'extraordinaires circonstances, fastidieux, ennuyeux. En fait, les récits de rêve ont presque toujours quelque chose de faux, en cela qu'ils recollent artificiellement des tas de morceaux disparates et dispersés dans le temps et l'espace, pour en faire une histoire soutenue et lisse. Plus que tout autre peut-être, mon rêve des trois coffrets ne peut entrer dans le moule du récit suivi, sans perdre sens et valeur. Son évocation seule me permet de mieux revenir à la lecture du manuscrit: elle fut guidée, éclairée par ce rêve complexe et l'emboîtement de ses péripéties, en apparence disloquées, s'en trouva mieux ajusté.

❑

Dans son premier carnet, en date du 16 octobre 1971, Pauline avait écrit: «Une petite maison dans un quartier de solitude. Une table d'écriture face à la fenêtre. Un livre qui s'écrit au fil des mois, en attente de ma mort prochaine. Je connais tous les dessous de ma maladie, rien à faire, n'en parlerai certainement pas dans ce livre. Elle a pris bien assez de place dans ma vie et je me débrouille pas si mal avec elle. La main trace dans son ombre et les mots jouent entre les fibres de l'irraisonné. La mort ne peut se penser. Les signes se pensent dans la dentelle, comme celle du Cygne, juste au-dessus de ma tête, depuis le mois d'août. Constellation issue d'une explosion stellaire, il y a si longtemps que la mémoire vacille. Un livre ne s'écrit jamais seul. Des êtres de toutes espèces le portent qui ne seront plus là quand la lecture tracera ses conditions d'oubli. Un livre qui s'est pensé lentement dans sa totalité mais donné aussi lentement en pièces détachées. Apte à la blessure, mais dans le fou bonheur de seulement respirer entre paroles et pauses, aucun fil ne viendra jamais recoudre ce qui ne fut pas d'abord brisé. Et maintenant, que le regard mi-clos et l'oblique oreille me disent d'où je viens. Il n'est pas impossible qu'en ce pays aux mille neiges, je sois fille d'astres ou de rien. Depuis la nouvelle annoncée par les grands sorciers blancs, on dirait que je touche les sons de l'univers, en moi. Mon seul véritable problème: quoi dire aux survivants?»

À la lecture de ces lignes, mon étonnement égalait ma tristesse. Pauline savait donc sa mort prochaine et ne nous en avait rien dit, pourquoi?

❑

Depuis 1983 et mon idée d'histoire à raconter, sans trop m'en apercevoir, j'ai collé au destin de ma scriptrice comme elle avait adhéré, du moins me semble-t-il, à celui de Pauline, à travers ses deux carnets légués. J'en ai pour preuve ce qui m'advient suite à ma lecture de sa notation, dix ans plus tard, du rêve de Pauline, écrit dans le premier carnet, en date du 26 février 1972: je me pose exactement la même question que mon amie scriptrice: n'ai-je pas moi-même, à maintes reprises, avec bien sûr des variantes, rêvé ce rêve? C'est un détail sans doute, mais des détails comme celui-ci parsèment mes journées et mes nuits. Voici ce récit du rêve de Pauline, tel que recopié dans le cahier noir et gris:

«Je regarde un édifice de vingt-deux étages. Jeanne me dit de voler jusqu'à une fenêtre du dernier étage et de m'y accrocher; elle viendra me chercher, de l'intérieur, et me fera rentrer. Mon double, qui se tient à quelques mètres de moi, me dit de ne pas y aller: «Tu vas tomber, dit mon double, tu vas te fracasser le crâne.» Pendant que mon double enfile des paroles inaudibles allant se perdre dans les espaces sidéraux et que Jeanne, insistante, m'invite du regard, je prends mon envol, me rends jusqu'au vingt-deuxième étage, m'accroche au rebord de la fenêtre, tiens deux secondes, ne peux plus tenir, décroche, tombe et me fracasse au sol. Mon double vient vers moi, affolé, me prend dans ses bras, constate l'état de mes blessures, un pied, seul, est cassé et une cheville fait mal: «C'est la cheville de la Gradiva», dit mon double. Nous nous réveillons en même temps, mon double et moi.»

Mon amie scriptrice poursuit: il me semble avoir fait ce rêve ou bien l'ai-je lu et par la suite, imaginé qu'il était mien? Il me semble que ça se passait au Canada, à Guelph, en Ontario. La veille, j'avais rêvassé à la fenêtre donnant sur un petit parc rempli de hautes épinettes. Le vent sifflait entre les branches, c'était en décembre (1979, je crois) et me parvenait filtré par les balais. Les branches d'épinettes géantes sont des balais de sorcières. La neige, parsemée d'aiguilles, déroulait un tapis de tweed tout autour des maisons de pierre construites au siècle dernier par les maçons écossais. Elles étaient plus spacieuses, ces maisons, plus solides, mais plus massives et moins élégantes que les maisons canadiennes du Québec de la même époque. Moins charmantes. Je me disais qu'une culture se comprend à travers ses maisons et ses arbres, j'avais sommeil, j'écrivais ces petites impressions-là pour tuer le temps, je n'avais plus rien à lire, venant de terminer *La Jument verte* de Marcel Aymé, j'avais adoré ce roman, l'avais lu d'une traite. Je me trouvais dans cette espèce de sentiment de plénitude inatteignable ailleurs que dans l'écriture; malgré ma conscience d'écrire ce jour-là des banalités, je regardais une goutte descendre mollement le long de la fenêtre, me disant que sa lenteur venait de sa proximité avec son temps de congélation; elle descendait un peu comme une somnambule à travers les petits sentiers de givre; le vent du dehors me berçait, c'est là que je m'endormis et crois avoir rêvé le rêve de Pauline.

❏

30 janvier 1981 — Devrais-je partir bientôt? Où aller? Lorsque hier, j'eus terminé la lecture des deux carnets de Pauline, je me sentis écrasée alors même que je ressentis un certain soulagement du fait que ma vie ne fut pas la sienne, mais quand même. Je connaissais la plupart des acteurs dont elle parlait et souvent je me surprenais à entrer dans la souffrance qui fut la sienne pendant si longtemps. D'abord le viol de son adolescence (je connaissais Judas, son beau-père, nous avons même été de grands amis, au début de la vingtaine et ne pouvais m'imaginer qu'il eût commis cet acte) puis, le suicide de sa mère (ça, je savais, mais j'ignorais tout des circonstances de la toute fin), enfin, la mort du petit Jacob (elle l'avait tant cherché, cet enfant d'elle, tant pleuré, tant crié dans mes bras, l'année qui suivit l'accident). Je ne pouvais m'empêcher de penser que toute cette série d'épreuves fut trop lourde pour ma frêle amie, mais frêle ou fort, on n'est jamais armé pour ce genre de catastrophes.

Je ne pouvais non plus m'empêcher de songer que sa mort annoncée avait dû être reçue par elle comme une délivrance, et que le dernier coup porté par les mauvais génies à sa courte vie avait été accueilli comme un présent des invisibles dieux, un baume céleste sur ce corps heurté dès la sortie du ventre de sa propre mère.

❏

Pauline a biffé tout le récit qui suit son allusion au viol. Elle a conservé l'anecdote brute et une morale, à la fin. Entre les deux: vingt pages effacées. Je ne reproduirai pas l'anecdote, ça fait trop mal, seulement la fin (c'est écrit en 1971): «Je ne vais pas chercher pourquoi je n'en veux plus à Judas, je ne lui en veux plus, c'est tout et n'ai rien à prouver. Après tout, seules les victimes peuvent décider, soit de l'imprescriptible, soit du pardon. Quand j'ai lu cette pensée dans un livre de Jankélévitch, j'ai tout de suite senti qu'elle tombait dans un terrain fertile, déjà labouré, prêt à d'autres semences que celle du fiel ou de l'ivraie. Mais tous les autres, tous ceux qui n'ont pas été victimes de la violence qui me concerne, n'ont d'autres choix que le silence ou encore l'écoute de ma propre parole, si tant est que je veuille parler. De jour comme de nuit, je peux décider d'enlever mon propre bâillon et aux non-victimes de tels actes je dirai: silence, je parle. Ouvrez toutes grandes vos oreilles, regardez au firmament bleu nuit l'échographie de mon cri sorti soudain du ventre, remué dans le cœur, passé par l'abcès guéri de la gorge, tremblé entre les lèvres frémissantes; entendez ceci: je n'en veux plus à Judas, je lui ai pardonné son viol de moi et n'ai pas à vous expliquer pourquoi. Si vous ne me croyez pas, je reviendrai vous le dire d'au-delà de la mort. Je ferai craquer les parois du cercueil, nagerai entre les mottes de terre noire, casserai la pierre tombale, regarderai mon nom gravé dessus, marcherai seule, comme un fantôme que je serai devenue, dans les allées du cimetière violet, vous m'entendrez alors, ce que je vous dirai vous deviendra intelligible, mon pardon aura des textures d'éternité qui ne savent pas mentir, alors vous me croirez.»

❑

Aujourd'hui, je n'ai rien fait. Sauf écrire. J'ai repensé au rêve des trois coffrets. Je me promenais dans un autre pays. Il n'avait pas de nom. Je me trouvais dans une forêt de salicorne, remplie d'orvets aux yeux humains. Mes pieds s'enfonçaient dans la terre calcaire, argileuse. Je glissai, tombai dans l'eau. Une supplique liquide baignait ma peau. Je priais, priais les éléments, mes lèvres remplies de blancs d'oubli. «Je veux bien rester ici, disais-je à l'orvet au regard humain dans des yeux de porcelaine, je veux bien faire l'amour avec toi mais, je t'en supplie, referme les coffrets de nos malheurs usés.»

Ce rêve, pas tout raconté, j'ai dit pourquoi, je le comprends dans la série de tous les autres — il serait plus juste de dire que ce qui échappe à mon entendement est toujours ce qui s'en va se rattacher à cela qui m'a semée dans les autres et que toutes ces parcelles flottantes de la vaste constellation nébuleuse, clignotent parfois, indiquent un chemin de nuit à qui veut bien s'y engager sans promesse aucune d'issue —, toutefois ce qui me touche de lui, ce sont les pensées du réveil, toujours lumineuses, qu'il suscite. Rattachées les unes aux autres (elles sont nombreuses, ce rêve fut rêvé tant et tant), elles constituent à elles seules un grand roman qui se détache du reste de ma vie, une espèce de carnet d'or où le reste — tout ce qui ne s'écrit pas — vient, de temps en temps, circuler entre les chapitres, trouver quelque valeur quand, dans la vie mate, plus rien ne semble se détacher du tout.

Dans cette retraite que je me suis imposée depuis quelque temps (bientôt deux mois), l'amitié posthume éprouvée pour Pauline me console de bien des tracasseries. Je parcours ses phrases comme si je les eusse moi-même écrites et pourtant, quelles différences entre nos vies! Elle fut violée, pas moi; abandonnée par sa mère à maintes reprises, jusqu'au suicide de celle-ci, pas moi; a vécu seule presque toute la durée de sa vie, sauf pour ces deux années avec Abraham, qui lui fit un enfant, partit ailleurs vers d'autres bras sans plus jamais donner de nouvelles et puis le petit Jacob est mort d'accident, si bien qu'elle s'est retrouvée seule, absolument, jusqu'à ce que la maladie mortelle vienne s'installer chez elle et vivre à ses côtés jusqu'à la fin.

Malgré toutes ces différences entre nous — moi, j'ai toujours vécu dans une espèce de bonheur effervescent, parfois encombrant, j'avoue: famille nombreuse-heureuse, enfants normaux, amours merveilleuses, fidèles amitiés, malgré les années-lumière qui semblaient séparer nos destinées respectives, nous étions intimement liées, proches comme deux sœurs quasi identiques, dans l'amitié la plus tendre et la plus vraie. Allez donc savoir les mystères des choix d'amour ou d'amitié!

Tout ce que je sais, c'est que sa mort a profondément modifié ma vie et que j'en retire, après coup, une série d'enseignements utiles pour la suite. Elle est un peu ma sorcière d'élection. Dans la vie, chacun possède un sorcier d'élection, qu'il en soit conscient ou non.

❏

Pauline écrit dans une page d'automne (l'année est effacée): «Dieu est la métaphore du vide.» Elle cite là, sans l'indiquer, Edmond Jabès. Plus loin, elle note, avec les guillemets, toujours sans nom d'auteur: «L'écriture est une solitude peuplée de rencontres.» C'est Gilles Deleuze. Pauline avait lu — et annoté — une quantité incroyable de livres, elle qui n'avait même pas complété le secondaire. Sérieuse à l'étude et à la réflexion, comme le sont les autodidactes, elle possédait, comme tous ceux-ci, l'exceptionnelle qualité d'humilité qui les conduit toujours aux choses de l'intelligence avec un vacillement de l'esprit, une incertitude douteuse face à tous ceux-là qui détiennent leurs lettres patentes des institutions de haut savoir; cette insécurité, ce tremblement constituent pourtant leur plus grande force: dans les avenues savantes, ils avancent perpétuellement avec cette faculté d'innocence seule capable de vraies découvertes. Pauline avait ce don.

Combien de livres n'ai-je pas lus — ou relus — à la lumière de ses commentaires? Mais pas seulement des livres. Combien d'événements n'ai-je pas mieux analysés, combien de gestes, mieux posés?

«2 novembre — "Dieu est la métaphore du vide." J'ai toujours su que Dieu était mort. Il serait plus vrai de dire qu'avant même de savoir, il m'était connu que Dieu n'était pas. Mais depuis la mort de mon Jacob — c'est la première fois que j'ose l'écrire, peut-être est-ce dû à la proximité de la mienne — depuis la dissolution de son corps et son statut de rien, je connais le Rien et sens tous les transferts de sens qu'on a mis sur le grand vide, autour de quatre petites lettres qui ont fait foi de tout. Depuis la mort de Jacob, je suis entrée, corps et âme, dans ma propre connaissance du vide.

«Je me souviens — et n'arrête pas de me rappeler — des instants qui ont précédé l'accident. Nous étions allés tous deux au parc, jouer au ballon. Un gros ballon neuf, rouge et bleu. En tombant, il s'était éraflé le genou et avait pleuré à chaudes larmes. Je l'avais ramené à la maison, avais nettoyé la petite plaie, mis un bandage, donné un bec, je me souviens encore comme il riait dans mes bras, après que j'eus joué dix fois au moins le jeu du "béco bobo, Jaco lolo" qu'il aimait tant. Puis, ce fut la sortie de Jacob dans la ruelle — je préparais le repas du soir, Carmen et Joseph venaient manger avec nous, le choc entendu, les pneus du camion qui crissaient, la voix du conducteur, affolée, les cris d'enfants, tout ce mouvement quand soudain la terre s'arrêta de tourner, le soleil de luire et les oiseaux de vivre. Mon corps était là, dehors et ce corps sur le corps éteint du petit Jacob ne savait rien de rien, ni d'où ça venait ni où ça s'en allait, rien. Mon fils et moi étions partis tous deux pour une contrée sans nom, sans rives et sans mémoire. Le début et la fin sont des inventions de surface pour qui n'a pas encore plongé, avec la chair de sa chair, dans la mémoire du vide; de là, je ne suis pas encore revenue.

«Je n'en parlerai plus, n'en écrirai plus le moindre mot. Depuis ma maladie mortelle, l'écriture de tout le reste fut pour moi rémission dedans cette vaste rémission que constitue la vie opaque.»

J'aimerais pouvoir penser que Pauline et la scriptrice du manuscrit sont un seul et même personnage et plus encore, que ces deux-là, confondues, forment, avec moi qui écris, une seule et même personne. Tout serait plus simple si tel était le cas; je n'aurais plus qu'à fignoler les phrases d'un témoignage lisse, à partir des notes et brouillons étalés tout autour. Ainsi, aurais-je vu se dissoudre, en une seule voix fictive, ces lambeaux de chairs écrites au fil des ans, me refaire une conscience unifiée, dans un récit limpide jusqu'au point final qui ne tarderait pas.

J'aurais pu faire «comme si», mais telle que je me connais, ce choix m'eût retenue d'écrire. La nuit du rêve des trois coffrets, un pacte en moi fut scellé auquel je tiendrai jusqu'au dernier fragment et même après: je me soupçonne d'une intention tenace, celle de retourner à ce récit écrit, d'y revenir sans cesse jusqu'à mon dernier souffle.

❏

Quoi qu'il en soit de mes voyages à travers le manuscrit de ma scriptrice et les carnets posthumes de Pauline et malgré que je ne puisse m'identifier (ayant admis les ressemblances formelles et même la nécessité de celles-ci), je peux néanmoins inscrire ce que je comprends d'elles, ce que j'en rêve; en fait, je me le dois, pour la suite des heures et la suite des signes, la poursuite du livre — ai-je bien écrit ce mot, livre? —, pourquoi vouloir ici, et ici justement, faire basculer le tout dans un destin tout clos? Le livre ne scellerait-il pas, définitivement, les trois coffrets? Or, sans fin, je veux y puiser et pour ce désir, il me faut les garder ouverts à tout jamais.

Mais à cette heure, une voix d'elles se détache du chaos qui me dit.

Elle a touché l'or de l'écriture, elle est ce métal, elle est chrysographie. Ainsi ces pétroglyphes algonquins, feux sur la pierre vive, soleil dessinant le contour des choses. Et les ombres. De la main sur feuille blanche. Elle est écriture nocturne ou diurne de métal fluide, d'eaux et d'anamnèse. Elle était muette, telle une immémoriale infante, elle est parlante. Dans les songes creux, les sons doux, feutrés, s'autographient sur la paroi des chairs. Elle venait d'une mère qui n'est plus et s'en va vers une mère qui est. Avec le souvenir d'un père géoscribe jouissant. Elle n'a jamais commis de meurtre, a refusé d'être clouée à une croix. Son frère, lui, a tout accepté. Il y avait trois personnes divines dans lesquelles elle n'était pas. Alors, toute la terre lui appartenait, mais elle ne le savait pas. Elle a eu une maladie mortelle, s'est enfuie retrouver nulle part son fils mort et enterré, nulle part, parce qu'il n'y avait pas de patrie. Elle est partie. Et son destin de morte muette a touché son destin de vivante parlante.

Dans son départ, elle a entendu des paroles battantes sur le mur du vide. Car au pays des mots, il n'y a plus de garde-fou du langage. Ses oreilles ont vibré aux paroles battantes du royaume des morts. Ses oreilles ont luxé. Son tympan de fantôme est devenu oblique. Un tympan oblique est collé sur le fantôme de la femme morte qui ne ressuscitera jamais. Dans sa vie, avant la mort de son fils, elle s'était allongée en plein hiver dans un pré de blé, la tête sur l'oreiller d'ardoise écrite et elle avait espéré entrer dans le four du sens. Elle avait joué avec les lettres de l'ardoise comme on joue avec les notes du piano. Elle a joué de l'écriture pendant des années.

Elle avait espéré l'impossible rencontre de l'art avec la pensée, de la beauté avec la vérité.

Pendant sa maladie mortelle, elle avait vu la faille entre les deux et s'y était glissée. Ça préparait la luxation de l'après-vie. Elle s'était promis de rester lovée éternellement dans cette faille, mais une promesse, c'est ce qui n'est jamais tenu, par définition.

Dans l'antre, elle avait rêvé d'une continuité utopique où l'écrit se rêverait de ne pouvoir s'écrire autrement qu'avec ce fil décousu qu'elle caressait de sa main nue.

Pendant ce rêve, elle avait vu Œdipe nu sur la scène — une scène inconnue — et le Sphinx mourir, se précipitant à l'infini de l'autre côté de la terre, tout en bas et elle avait entendu l'écho vibrant de son cri de mort, rouge comme la soie des veines.

Des milliers d'autres personnes auraient pu mourir et crier leur cri de mort, sans qu'elle ne le sache ou n'en souffre; la terre entière aurait pu être dévastée sans qu'elle n'en soit touchée, dans son antre, elle était ignorante de tout — insouciante — elle était innocente. Avant, elle avait pleuré comme les pierres, mais les pierres étaient devenues gelées-glacées sur les visages froids, puis, elle ne pleurait plus, la blessure des mortes mères était d'un autre monde, elle, elle avait égaré sa boussole dans les neiges sèches de la toundra.

Elle avait métamorphosé sa chair. Sur papiers et dans les encres, elle avait donné une éternelle poussée et, dans la sagesse d'un silence obligé, elle était passée à l'acte des plumes avec parfois, réminiscente, l'inertie des choses terrestres informées. Entre les lignes incertaines d'un crépuscule flou, elle s'était étalée dans de la poudre de sables échevelés.

De l'oreille luxée à la bouche muette, elle est une silhouette de corps sur un plan de ville, des oiseaux passent, elle arrache au mouvement invisible ce seul cri rauque qui a pour seule mission de représenter le son. Un son. Elle s'éveille, cherche l'enfant perdu. Son enfant. Ne le retrouve plus. Alors, elle se rendort, pour toujours. Elle ne s'ennuie plus de l'absent. Elle est une pulsion qui ne s'écrira plus. Elle est une lettre négative.

❏

Voici pour l'une. Je n'oserais improviser davantage à partir de ce qu'il me fut donné de saisir. Après tout, je n'ai jamais parcouru les deux carnets qui sont la propriété de ma scriptrice et celle-ci m'a dit vouloir en faire un livre, éventuellement, «Quand je serai vieille, m'a-t-elle confié, quand j'aurais raconté, pour mon propre compte, mon long voyage hors de chez moi, ma rencontre d'Adam et des siens, mon retour à la vie normale et le retour des enfants.»

Sur l'autre, je n'improviserai rien, lui laissant, elle vivante, tout le secret, toute la portée écrite de sa propre fiction. Mais je n'en ai pas fini pour autant avec elle; je ne crois pas trahir en poursuivant son récit de départ, tel qu'il m'a été donné de le lire et de le ré-écrire, c'est une question de survie (dès le début, je l'ai noté) pour la suite de ma propre fiction, à cause d'une coïncidence heureuse entre un trajet de sa destinée et un trajet de la mienne, et parce que cette rencontre a refoulé dans les marges une série de petits événements jusque-là mystérieux et les a par la suite invités, sur les pages, à toucher le reste et à créer, comme deux pierres le feu, une coalescence.

❏

Elle avait quitté cette maison, lieu de rencontre de tant d'être aimés, lieu de séjour de tant d'objets chéris. Par ce départ subit, le monde est soudain dépeuplé, avait-elle inscrit en première page de son journal de bord (de ce journal, elle n'a pas tout recopié dans le grand cahier noir et gris — toute transcription implique une série d'abandons; de cela elle fut consciente tout autant que moi).

Il n'y avait plus personne dans la maison. Et les objets se tiendraient là, dans une fixité intemporelle, perdant leur âme peu à peu, puisque aucun regard humain ne la leur donnerait plus.

Sur le seuil, elle n'y pensait même plus. Ni les êtres aimés ni les choses chéries ne captaient son attention. C'était comme ça. Le monde était devenu cette grande nappe lisse étendue devant elle, vide de tout, depuis le seuil où elle ne bougeait pas encore jusqu'à l'horizon lointain vers lequel elle marcherait bientôt. C'était ainsi.

Un pas devant l'autre, songeait-elle. Un pas devant l'autre, c'est chose courante et facile, mais pour elle, ce soir, cette activité à laquelle elle n'avait jamais vraiment réfléchi, ce petit rituel quotidien, en apparence insignifiant, prenait soudain de gigantesques dimensions, comme s'il y avait eu à gravir une montagne à chaque avancée ou encore, à sauter d'une falaise à l'autre, avec toujours, en bas, quelque gouffre béant prêt à vous avaler. Un pas devant l'autre.

Pourquoi, ce soir, marcher tout droit devant soi était-il devenu une nécessité? À cette simple question, elle aurait tout le temps de réfléchir et elle pourrait deviser, en long et en travers, de tout autre sujet que la vie trépidante des êtres ou encombrée des objets l'avait jusqu'ici empêchée de saisir.

Elle avait tout son temps et l'espace devant elle s'ouvrait à la même mesure. Elle verrait bien. Pour l'heure, il fallait d'abord se plier à l'inéluctable nécessité d'avancer, pas à pas, devant elle.

Elle fixait le chemin. Dans son dos, la maison vibrait encore de présence chaude comme une femme qui appelle et dit: «Reviens.» Elle la sentait vivre et respirer comme si, d'elle à la maison, se fut opérée une transmutation d'âme car elle, en ce moment, n'en avait plus; il lui semblait avoir quitté son âme avec le reste, l'avoir laissée dans les choses tout juste abandonnées et dans les êtres partis, certains vers d'autres vies, certains dans la mort. D'autres n'avaient rien quitté, n'avaient pas bougé, seulement de son cœur à elle, ils étaient sortis.

Avaient-ils emporté quelque chose de ce cœur dans leurs néants nombreux qu'elle ne connaissait pas? Cela demeurait incalculable et les morts, en tout cas, n'en feraient jamais rien, puisqu'ils n'existaient plus. Mais elle avait dû tout de même faire des adieux complets, à son corps défendant, y compris à ces parties de l'âme, parties avec les morts, morceaux d'elle qu'elle ne connaîtrait jamais plus. Des lambeaux, pour ainsi dire, qui ne la qualifieraient plus et qui constitueraient, éternellement, ces restes calcinés et inintelligibles d'une histoire terminée.

Un coup de vent subit amena les sons du petit jardin jusqu'à ses oreilles, mais ne les déposa pas, les saisit au passage; le vent embrassa tous les bruits pour les porter très loin, au-delà de la route où son corps fixe ne pouvait plus voir, entendre seulement.

Elle suivit le son du vent qui avait chargé l'atmosphère de sa respiration, éteignant tout son des alentours.

Elle était partout et nulle part, se sentait de Tokyo, d'Athènes ou de Paris, de New York ou de Pékin, elle était avec les âmes errantes de tous les territoires, sur les routes arpentées, toutes les mythographies étaient siennes et pourtant ses pieds n'avaient pas bougé de ce seuil et la maison respirait derrière elle.

Alors, je dormirai, pensa-t-elle, là, sur le seuil, je m'allongerai pour dormir et rêverai que je pars et je vole.

Dormir n'est pas chose si simple quand on a décidé de partir en voyage et très loin. Elle n'avait pas le choix: la nuit serait longue et les jours de demain aussi, et il lui fallait garder les yeux grands ouverts. Elle n'avait pas le choix, même si toute cette entreprise était le résultat d'un destin qu'elle s'était elle-même tramé et dont elle avait finement élaboré le dessein. C'était ainsi. Elle était prise par son propre destin comme d'autres par le hasard, et la soumission à cette nécessité ne lui semblait ni meilleure ni pire que l'accident banal qui eût pu, ou pourrait encore, changer le cours de sa vie.

Le temps ne s'était pourtant pas arrêté, mais il semblait si parfaitement lisse et rond qu'il n'était plus du vrai temps. Le temps ne s'était pas pulvérisé, il était, au contraire, partout, parti dans tous les sens, dans un tourbillon qui, pareil au vent, l'empêchait de chuter dans ce corps en suspens.

Le corps était fixe mais l'esprit, à des années-lumière, en aval et en amont du moment présent et ce double mouvement du temps, en arrière et en avant du présent, nivelait celui-ci, le neutralisait, le vidait de sa substance, l'annulait. Dans le vide du présent, elle se trouvait dans un trou d'absence.

En avant d'elle, les mille et une images possibles tournaient autour de quelque chose qui n'avait ni matière ni forme, tout juste un nom, un mot qu'elle aurait voulu chargé de sens mais qui, pour l'heure, lui semblait parfaitement insignifiant, tellement elle ne pouvait rien ajouter tout autour, ni même dedans, comme une boîte vide qu'elle se devait de remplir, mais il lui faudrait trouver avec quoi — un mot qu'elle se répétait cycliquement, chaque fois qu'une image de l'après (une fantaisie) interrompait son scénario, un mot qui venait cogner comme un énorme gong à la porte de ses rêveries.

Elle partirait chercher ce mot-là.

Elle marcherait résolument vers ce que ce seul mot contenait, révélait.

Elle emporterait tous ses coffrets d'énigmes, écrits dedans, tatoués sur la paroi des chairs opaques, pour les ouvrir, dans toutes les langues et légendes du globe, pour les libérer, les soulager, les guérir de ce seul mot-là.

❑

Son cahier ici devient touffu. Elle a voyagé, traversé les contrées de son propre pays, d'autres encore et elle a tout noté. Il y a des rencontres, des amours, amitiés, des jours et nuits remplis, des jours et nuits vidés aussi parfois, des fêtes et des esseulements, des escalades en montagne, des traversées de champs, de mers et de forêts, des escales dans les bars, les hôtels, des trains, des bateaux, des avions, des funérailles et des mariages, des anniversaires, des cérémonies d'ouverture, de fermeture, des livres lancés, des livres ouverts, puis refermés, des livres lus, des films et des tableaux, des concerts. Elle a marché des milles, couru des fois, s'est arrêtée des jours de temps, a pensé, rêvé, joui, pleuré, chanté, crié et toujours, elle notait. Son cahier noir et gris? Une mine d'or, une bibliothèque, une perle dans l'huître, des joyaux chus de Vénus — c'est écrit —, des écrins hermétiques et, le plus souvent, des cailloux fins, contemplés dans la main.

❑

J'ai tout lu. Ce soir, je referme son grand cahier de notes, comme elle avait refermé les carnets de Pauline. J'attends, je réfléchis. Ces vies m'ont bouleversée. J'ai besoin de repos. Sur ma table, une fourmi de la dernière portée qui a le don de ne rien demander. Elle est là sans rien voir ni écouter. Elle avance, menue, elle est noire, je la note comme le reste. Plus insignifiante que tout, comparée aux lunes et soleils, à la ville grouillante, à tout ce qui s'ébat et se débat dans la nuit, elle n'est rien. Mais ce rien est le seul être ici qui bouge, seul témoin du mouvement de la vie. Elle gravit les pages du grand cahier noir et gris, avance, se place au beau milieu parmi les lettres.

J'écris la fourmi au repos, referme le cahier devenu son tombeau.

L'écriture, c'est ma mère

On n'avait pas voulu que ça se passe comme c'était en train d'arriver. Personne. Aucun de nous n'avait désiré que ça se déroule de cette façon. Les choses arrivaient, nous arrivaient, nous les voyions poindre, passer, filer — nous étions très éveillés et très conscients de tout — et nous nous sentions tout à fait impuissants à faire quoi que ce fût pour en détourner le cours. Nous nous sentions irresponsables des choses qui arrivaient.

Et Dieu sait si jusque-là nous avions été des êtres responsables. C'est ce que nous pensions alors.

Notre destin, nous l'avions toujours dominé. Du moins, c'est le sentiment que nous en avions. Sans même y réfléchir.

Nous étions des êtres maîtres de nos vies.

Mais cet été-là, nous étions dépassés. Surpassés par les choses qui se précipitaient. Pas seulement les choses. Les êtres aussi qui échouaient dans nos vies.

Notre maison était encombrée d'êtres et de choses créant un imbroglio d'événements sur lesquels nous n'avions plus de prise.

Tout fuyait.

Heureusement qu'entre nous la conversation demeurait. Nous pouvions au moins en parler.

C'est en général le soir que nous reprenions entre nous le fil. Nous avions alors le sentiment de recoudre les morceaux disparates des choses, de les apaiser. La confusion dominant le jour chutait soudain avec lui. Le silence d'abord s'installait dans un temps flou, on aurait dit que les choses reprenaient leurs nids muets, les êtres ronronnaient comme des chats et tout en vaquant aux menues tâches de la maison, nous nous mettions alors à faire des plans: que mange-t-on ce soir? où va-t-on? regardons-nous un film à la télé? lit-on? observons-nous les étoiles, les aurores boréales? ou bien parlons-nous tout simplement entre nous de choses et d'autres, souvenirs, affaires de familles, d'amitiés ou de métier? Quoi qu'il en fût, tout rentrerait dans l'ordre jusqu'au sommeil alors que chacun vivrait de ses rêves sans en souffler mot le lendemain quand la bourrasque du jour reprendrait tous ses droits.

Nous avons vécu ainsi pendant deux mois.

Souvent, au cours des soirées calmes, je tins une chronique de tous ces événements. Une espèce de journal de bord qui m'empêchait de sombrer dans la folle incohérence de nos journées.

Je me souviens avoir eu toutes les peines du monde à m'abstraire de l'encombrement collectif pour venir aligner de simples phrases dans un carnet de survie. Je devais à chaque fois me démontrer à moi-même la nécessité de cet acte, en apparence inoffensif, banal. Mais à bien y penser, du moins dans ce présent recul, mon enfermement silencieux fut sans doute un affront pour tous ceux-là que le tumulte animait.

Cela n'est pas une raison pour demander pardon à qui que ce soit.

Certains sont morts, d'autres ont disparu, quelques-uns font encore partie de ma vie, parfois chez moi, parfois dehors, nos routes semblent avoir pris des voies plus calmes, plus dégagées, mais je me perds, anticipe, je ne dois pas m'éloigner de cette saison estivale pas si lointaine où nous avons tous failli laisser corps et âmes en lambeaux dans cette grande maison qui nous rassembla tous, que nous avons hantée et qui doit se plaindre encore, se tordre et crier dans ses lambris.

Je n'y suis jamais retournée.

Un jour, quand j'en aurai fini avec cette histoire que je veux fidèle à tous ses habitants, je reprendrai la route, seule sans doute — mais peut-être pas —, j'irai la visiter. Je stationnerai l'auto sur le petit chemin ombragé qui jouxte l'allée centrale, je m'avancerai à pas feutrés, longerai d'abord le jardin côté remise, regarderai discrètement vers l'intérieur pour voir qui vit là, cognerai à la petite porte des habitués, quelqu'un viendra m'ouvrir que je ne connais pas, je me présenterai, dirai: «J'ai déjà vécu ici», demanderai si je peux rester un peu sans déranger, ils m'offriront un verre, nous fumerons une cigarette peut-être, je ne raconterai pas grand-chose de ce qui fut vécu par nous chez eux, ne voudrai pas les effrayer, la maison aura retrouvé sa vraie vocation et ses allures calmes, je humerai ses effluves champêtres, me réconcilierai avec ses murs maintenant paisibles, sourirai de contentement, saluerai des hôtes ravis de ce bris de routine et reviendrai chez moi.

Un jour, comme on retourne sur les lieux d'un crime, je partirai vers cette ville lointaine où fut vécu, dans la tourmente pourtant, tout le contraire d'un meurtre, parce que là fut éprouvée à chaque tournant de jour, la vie, à travers tous ses débordements, toutes ses énigmes, celles qui nous envahissaient sans que nous n'ayons prise sur elles, un jour, j'y repasserai.

❏

Cette maison ne nous appartenait pas. Des amis, partis en Australie pour l'été, nous avaient demandé de la garder, de nous en occuper comme si elle était nôtre, de prendre soin du maître des lieux, un vieux et gros chat surnommé Chat. D'emblée, nous avions accepté cette généreuse invitation. Sans grands projets cet été-là, sinon celui de découvrir cette superbe région que nous connaissions mal et, pour ma part, mais cela fait partie de tous mes plans, celui d'écrire un roman.

La maison était immense, son terrain, arbres et jardins, superbes et la vue qu'elle offrait, côté cuisine et salle à manger, valait bien tout un livre. Nous pouvions voir la mer! c'est-à-dire le grand fleuve, le fleuve Saint-Laurent, avec ses îlets et ses îles, son île Saint-Barnabé, la plus longue; elle traversait toutes nos fenêtres, son rocher blanc à l'ouest qui devenait orangé au soleil couchant, tel un immense phare allongé éclairant tout le littoral et, par temps clair, nous voyions poindre les petites lumières de la Côte-Nord, là-bas, où le pays du Québec va se perdre dans les eaux majestueuses, les glaces et la nuit des temps.

Nous étions à l'ouest de Rimouski, dans cet estuaire accidenté et mouvementé où les eaux ne sont jamais les mêmes; le regard a beau vouloir se porter au même point, d'un jour à l'autre elles changent, d'une marée à l'autre. Cela, sans doute, marqua nos semaines erratiques; à chaque levée nous avions l'impression d'avoir bougé avec elles, de nous être déplacés à leur gré, comme si les alentours n'avaient plus de point fixe à l'horizon, plus de repères, quand l'œil s'évade à vouloir suivre les chemins disparates entre la fenêtre, le jardin, la batture, l'eau vaste et les montagnes taupe, au loin, dont les dessins se modifiaient d'heure en heure selon les caprices du temps.

Sur cette scène, un seul élément semblait échapper à toute fluctuation: la ligne de chemin de fer, tout en bas, juste avant la batture, filant, stable, traçant cette portée sans notes sur laquelle, parfois de jour, parfois de nuit, un sifflement rythmé nous offrait régulièrement une garantie de fixité (nous invitait au réel inaltéré), mais aussi la promesse de partance, nous invitait au possible voyage, partout ailleurs, quand, tout autour, les choses et les êtres nous confondaient par leurs incessants déplacements.

❏

Il me paraît aujourd'hui évident que je ne pourrai pas raconter dans les détails tout ce qui fut vécu en ces lieux, tellement la matière est touffue et la quantité d'épisodes, incoercible. Il me sera tout aussi impossible de suivre la chronologie des événements, car aucune logique temporelle ne saurait répondre des moments chaotiques traversés. Je les aborderai en vrac, les traiterai au fur et à mesure qu'ils voudront bien remonter à la surface, comme lorsque après un rêve compliqué on se crée une histoire plus ou moins cohérente, à partir de petits éléments qui, tout seuls, se sont dégagés du magma nocturne.

Si je retourne à la chronique tenue en ce temps-là, ce sera uniquement pour vérifier certaines dates, m'assurer de certains détails et, encore là, je doute de m'y référer, préférant de loin, ainsi que je l'ai toujours fait, m'en tenir au dépôt présent de la mémoire, à tous ses résidus qui, à mon insu, ont œuvré à cette histoire et valent bien le labyrinthe anecdotique de cet été particulier.

Ce matin, je me suis éveillée avec une date en tête, le 3 juillet, et ne savais trop qu'en faire — elle s'est dégagée toute seule, comme ça, après que mon esprit eut parcouru une quantité incroyable de triades ayant marqué mes rêves de la nuit — jusqu'à ce qu'émerge lentement la matinée complète du 3 juillet de cette année-là et que vienne s'éclairer, après le rêve justement, ce qui s'était alors passé.

Je vaquais, seule, pendant que dormait, calme, toute la maisonnée; plus précisément, j'étendais du linge sur la corde, il faisait beau, mais un vent du large régnait sur la côte, comme souvent à Rimouski. La veille, Hubert m'avait demandé de le laisser dormir tout son saoul:

— Je travaillerai sur mon ordinateur jusqu'aux petites heures, m'avait-il dit, j'ai trois programmes à terminer, il faut que je poste tout ça avant cinq heures. Ils ont déjà accepté deux fois de repousser le délai, j'irai jusqu'au bout, quitte à ne pas dormir du tout.

Hubert roupillait comme tous les autres. J'étais accrochée à ma corde à linge comme si je craignais de partir avec le vent, je m'en souviens aussi clairement que si c'était hier et pourtant, ce détail, jusqu'à ce matin, je l'avais oublié. J'avais une épingle entre les dents et l'autre dans la main — c'est pour sauver du temps —, quand la sonnerie du téléphone se fit entendre, plus fort que d'habitude, on aurait dit, sans doute à cause du silence ambiant et de l'écho multiple provoqué par le vent.

Je me revois, échapper une épingle et laisser tomber la serviette dans le panier, me précipitant au téléphone pour prévenir un réveil brutal des dormeurs, ce qui eût mis fin au bonheur silencieux savouré depuis mon premier café. Je me revois, soulevant le récepteur après seulement deux sonneries (un exploit, vu la distance parcourue). Je me revois entendre, j'entends encore la voix de Catherine, l'affolement, les mots désordonnés, les pleurs, la panique, l'horreur de ce qu'elle me racontait, les plans que je fis très vite pour qu'elle descende à Rimouski, l'autobus de 13 h 45 qu'elle irait prendre au terminus Voyageur, son arrivée à 20 h 45, j'irais la chercher, avec Hubert et Charles, avais-je ajouté.

— Non, tu viens toute seule, je veux parler à toi d'abord, on ira prendre un café, je te raconterai tout, avait-elle dit à travers ses sanglots.

Je m'en souviens comme si c'était hier.

❑

À la sortie de l'autobus, j'ai cueilli Catherine en petits morceaux. Je ne l'avais pas revue depuis deux mois, mais on aurait dit que dix ans s'étaient passés tellement son visage avait vieilli, marqué par la peine, ravagé par les veilles insomnieuses et puis, ce dos courbé, soudain, ce regard outré. Comment la vie pouvait-elle à ce point, et en si peu de temps, ravager une jeune femme forte, du moins c'est ainsi que je l'avais toujours perçue?

Je me souviens de mon entrée au terminus. Elle s'est jetée dans mes bras comme on s'accroche à une bouée; nous étions la cible de tous les regards curieux; je n'aimais pas l'exhibition, mais Catherine, elle, ne voyait rien, toute à sa douleur. Le monde aurait pu s'écrouler qu'elle ne l'eût pas remarqué.

Dans cet état d'agitation effrénée où elle se trouvait, il n'était pas question que je l'amène au café. J'optai pour un petit chemin tranquille au bord du fleuve. Tout le long du parcours, elle ne tarissait pas, larmes et mots entremêlés. J'étais à ma conduite, j'écoutais, me disant est-ce possible de dériver à ce point dans la douleur? J'ai eu des épreuves tout au long de ma vie, des coups durs, comme on dit, mais cet effondrement séismique, ce délabrement apparent de l'être n'avait jamais été mon lot.

Catherine raconta pendant deux bonnes heures, puis d'un coup bifurqua, dit:

—Je suis fatiguée, je veux dormir, dormir longtemps des nuits entières, je voudrais me réveiller dans dix jours, me dire alors que j'ai rêvé tout ça, que rien n'est arrivé des derniers événements, que je porte encore mon bébé dans mon ventre, qu'André n'est pas parti avec une autre. Tu crois que c'est possible? Dismoi que je rêve, nous l'aurons cet enfant, André m'aimera encore, il ne me suppliera plus de me faire avorter, il ne me dira plus qu'il aime Julie, il m'aimera comme aux tout premiers temps, tu te souviens? Dis-moi que c'est possible, dis-moi que j'ai rêvé tout ça. Qu'est-ce que j'ai fait pour que cette chose m'arrive à moi? Comment pouvait-il m'aimer si fort et puis ne plus m'aimer? Comment était-il si heureux que je porte notre enfant? Comment, et en si peu de temps, ne l'était-il plus? Pourquoi lui? Pourquoi moi? Pourquoi nous? Je veux mourir, je veux dormir jusqu'à la fin du monde. Dis-moi, dis-moi que tout ce que je t'ai raconté n'est pas vrai, dis-moi que je ne suis pas ici, au bord du fleuve, à Rimouski, dis-moi que je suis à Montréal avec André, j'ai un bébé dans mon ventre, je dors à ses côtés, je fais un mauvais rêve, je vais me réveiller, on fera doucement l'amour, comme juste avant quand il m'aimait, on prendra un café, faisant des projets pour la journée, je ne raconterai pas mon rêve pour ne pas l'énerver, tout se dissipera avec le temps qui passe, le soir, on ira au cinéma ou quelque chose comme ça, dis-moi que je dors, dis-moi que c'est pas vrai.

Catherine reprenait son souffle, puis se mouchait et repartait:

—Je la tuerai, tu sais, j'en suis capable, non, je les tuerai tous les deux, j'achèterai une carabine à deux coups, deux seuls coups, tu m'entends? Je les aurai.

Et puis ça continuait. Elle oscillait entre désespoir et rage, j'écoutais, je retournais des phrases dans ma tête et les écartais l'une après l'autre, aucune d'elles, me disais-je, ne peut atteindre les cimes de son malheur, aucune, pour l'instant, ne peut se mesurer à la hauteur démesurée de son présent malheur.

Je me taisais et, pour moi seule, entendais au-dessus du flot déchaîné de ses propos le doux son des petites vagues venant mourir non loin de nous à la marée montante. Je remis le moteur de la voiture en marche sans même qu'elle s'en aperçût, lui dis:

— On rentre chez nous. Je vais te préparer un petit grog, tu verras, ça te réchauffera et tu iras dormir. Je te ferai un bon lit dans une des chambres du soleil levant, je mettrai nos plus beaux draps brodés, blancs, tu verras, tu sais, ceux que maman avait faits pendant la guerre, les jours d'hiver quand elle me portait.

Catherine n'entendait rien, absorbée par sa peine, submergée par tous ses mots délirants qui, seuls, parfois, peuvent répondre du désastre intérieur.

Je la ramenai chez nous, pensant, j'ai un trésor funèbre à mes côtés, pensant, je suis responsable du bonheur de mon amie dans son malheur, pensant, l'innocente amitié des temps heureux n'a plus cours entre nous. Nous entrons dans une ère incertaine, comment je ferai? que dire? comment toute la maisonnée vivra ses tourments? pensant, on verra bien, l'auto roulait à douce allure, Catherine parlait, divaguait, s'allumait cigarette sur cigarette qu'elle éteignait aussitôt, sentait la sueur et le tabac, pensant, comment c'est possible, un tel délabrement en si peu de temps? Catherine si forte, si belle juste avant. Certaines épreuves sont comme la mort, aussi soudaines, aussi radicales: tu es fort et l'instant d'après tu n'es plus. Étrange, la vie! Cette phrase de Cioran revenait me hanter pendant que je me rivais au volant et fixais la ligne de la route cahoteuse et mal éclairée: «Le fait que j'existe prouve que le monde n'a pas de sens.»

❏

Elle dormit, mais si peu. Nous étions en train d'écouter les nouvelles de fin de soirée à la télé — nous étions à l'affût des moindres détails concernant les fluctuations géopolitiques d'Europe centrale et de l'Est, nous avions en notes la matière d'un livre auquel nous contribuions tous, au jour le jour, nous lisions tout, journaux d'ailleurs et d'ici — quand un immense cri vint déchirer le silence d'en haut: c'était Catherine.

Je me précipitai vers sa chambre pour la trouver affolée, l'air hagard, les cheveux en sorcière. Elle me montrait le lit défait, elle baignait dans son sang! Encore une fois la course au téléphone, les cris, les pleurs, l'appel à l'ami Pierre médecin, elle faisait une hémorragie à la suite de l'avortement sans doute bâclé, l'ambulance devant la maison, les voisins curieux aux fenêtres, les préparatifs, les papiers. Le voyage jusqu'à l'urgence de l'hôpital, sirènes au vent, je lui tenais la main et cela me rappelait cette autre traversée de ville, à vingt ans, quand, des suites de l'accident, je vis mourir l'ami François, je lui tenais la main et je n'y croyais pas.

Pendant des jours, je m'étais récité ce poème d'Aragon que François aimait tant («Déjà la pierre pense où votre nom s'inscrit. Déjà vous n'êtes plus qu'un mot d'or sur nos places. Déjà le souvenir de vos amours s'efface. Déjà vous n'êtes plus que pour avoir péri.»), il me revenait en mémoire, et défilaient dans mes pensées les phrases de l'événement absurde qui, à vingt ans, cherchait en vain ses propres mots. Catherine pleurait, mais doucement, on aurait dit que de se savoir prise en charge la calmait. L'ambulance devenait ce grand ventre maternel qui la transportait vers toutes ses guérisons. Et moi, dans un petit couloir de mon esprit, je pensais à mes draps: comment laver tout ce sang? Et le matelas? Sitôt seule dans la salle d'attente de l'hôpital, pendant qu'on amenait Catherine à ses soins, j'appelai Hubert pour les draps. C'est la foudre sonore qui me tomba dessus:

— On ne peut pas avoir la paix dans cette maison? hurlait Hubert, brandissant de tous ses mots la hache de guerre.

Comme souvent en ces cas-là, je sortais mon calumet, m'enveloppais de petite fumée, laissais passer

l'orage et nous parlions enfin. La voix d'Hubert trem-
blait un peu. Ça épuise, la colère, comme tout ce qui
vibre en nous quand le trop-plein de mots, d'images,
de sensations s'échoue sur la plainte ou dans le cri.

Catherine eut un curetage, revint chez nous dès le
lendemain, guérit lentement, corps et âme et mes
draps, bien lavés, séchèrent dans l'herbe, au soleil,
retrouvèrent leur blancheur et leur odeur tant aimées.

❑

Les jours qui suivirent furent relativement calmes.
Chacun à ses pensées, son travail, ses songeries, Chat
tout à ses habitudes de chat, quémandant minouche-
ries à droite, à gauche, nous donnant sans discours
une leçon vivante de disponibilité et de passivité rêveuse, ce qui constitue pour chacun l'idéal jamais atteint des vraies vacances. Je revins, heureuse, à mon
idée de roman. Je passai des heures à tourner autour
des pages, le moindre mouvement du dehors — nouveau papillon, oiseau méconnu ou bien cerise éclose
— m'appelant sans retour, et quand j'avais le bonheur
d'écrire une phrase complète, je trouvais ma journée
accomplie, la relisais et me la répétais, comme si j'eus
remporté le plus grand des trophées, alors que je pouvais vaquer, enfin libre, aux mille et un petits travaux
qui me sollicitaient.

Ce que je nommais «ma crise d'écriture» était depuis longtemps terminée, depuis que, par-devers moi,
j'avais résolu ce vieux conflit une fois pour toutes et
qui pourrait se résumer ainsi: «Entre ma mère et l'écriture, je choisis ma mère.» Cette simple paraphrase de
Camus disait tout pour moi de ce côté-là des choses,
elle m'avait permis d'outrepasser mes tergiversations,
mes émois; je n'avais plus à revendiquer sévèrement
pour moi-même du temps de retrait grugé au temps

des êtres et des choses, je n'étais même plus obligée d'écrire; ça paraît simple, mais ce fut longtemps loin d'être évident. Si l'écriture venait, c'était dans une espèce de temps superflu et gratuit, comme en un hors temps où les conflits de mesures et de calculs n'ont plus lieu.

Je me souviendrai toujours, par exemple, de cette phrase du 12 juillet, je crois, ouvrant un chapitre jamais terminé, quelle importance? Je me souviens des heures où je l'ai portée, satisfaite, pendant que je cueillais des fraises au jardin et qu'une nouvelle colonie de fourmis transportait des brindilles quasi microscopiques sur les immenses feuilles de rhubarbe qui, pour elles, devaient constituer de vastes continents offerts à leur exploration. Je me souviens que cette phrase-là m'était venue toute seule, donnée un matin comme un cadeau: «Pour continuer, tout simplement vivre — et aimer —, il n'est sans doute pas utile de connaître les raisons et motifs de nos divers choix et refus, même les plus fondamentaux, ni encore toujours judicieux de s'en expliquer; cependant, pour moi, une telle connaissance est devenue nécessité, qui plus est, elle doit s'écrire, passer par l'écriture pour se saisir elle-même, passer dans l'écriture pour que toute écriture à venir puisse à son tour passer: se lire au-dedans, sortir du corps, venir au jour, mourir à moi et vivre ailleurs.»

Elle s'était écrite, je pouvais donc, tout à mon aise, tenter de la comprendre pendant que j'exécutais mes tâches quotidiennes, repassage ou cueillette des fraises ou toute autre activité; je pouvais aussi la méditer pendant que je serais occupée à ne rien faire (pas facile, mais j'y parvenais de mieux en mieux); je pouvais aussi tout simplement l'oublier, ce que je fis d'ailleurs jusqu'à ce que je m'en souvienne aujourd'hui et la recopie comme ça.

Ces jours se déroulèrent donc sous le signe de la liberté fluide et de l'évanescence du temps. Charles, déambulant dans les étranges couloirs de la *physique du chaos*, à la suite du grand savant américain Mitchell Feigenbaum qui passa sa vie à réfléchir au chaos organique des nuages, juste à les regarder, esquissa même, pour nous, une théorie sur l'absurdité de la périodicité temporelle et la contrainte arbitraire du découpage des jours en vingt-quatre heures. Sans trop comprendre les voies scientifiques dont il était un habitué, nous le suivions, ravis, jusqu'à ses conclusions et chacun disposait de son temps comme bon lui semblait.

Est-ce le hasard qui nous faisait régulièrement nous retrouver tous à l'heure de l'apéro quand, chacun à sa petite tâche comme si, de tout temps, un invisible artisan nous l'eut assignée, nous buvions et préparions le seul véritable repas de la journée, celui que nous prenions ensemble, chaque soir, le plus souvent dehors, au soleil couchant? Est-ce un hasard ou un aimant qui nous ramenait tous, et comme à notre insu, à cette aire sacrée (table, comptoirs, bar) où nous vivions nos meilleurs moments?

Si j'ai repensé à ma phrase du 12 juillet, c'est que, justement, cet après-midi-là, un ouragan tout humain vint s'abattre sur notre maison et balayer, en un instant, notre doucereuse quiétude.

❑

L'ouragan était femme et se prénommait Alice. Alice, notre vieille amie de toujours qu'on ne revoyait presque jamais, vu ses sautes d'humeur catastrophiques liées à un alcoolisme virulent.

J'étais dans la cuisine avec Charles en train de préparer tous les petits légumes (cresson, échalotes, persil, ciboulette, ail, luzerne) pour la salade d'endives que nous aimions tous et dégustions en entrée (nous y ajoutions parfois pommes et noix). L'après-midi s'étirait en longueur et langueur. Nous faisions face à la fenêtre qui donne sur le jardin, la batture et le fleuve, nous pouvions voir Catherine, dans la chaise longue, sous le cerisier, lisant *Le Vieux Chagrin* de Jacques Poulin tout en guérissant le sien (je lui avais offert ce merveilleux roman, pour moi le plus beau lu depuis bien longtemps; y a-t-il meilleur remède à la peine — et à la peine d'amour surtout —, que la lecture d'un bon roman?). Parfois, Catherine posait le livre sur son ventre, portait ses yeux au loin, rêvant, ou bien les refermait dans un air de contentement, puis, revenait au livre et nous la laissions à son monde, heureux de sa lente remontée vers des espaces calmes où rien ne heurte trop. Ce jour-là, Catherine était d'autant plus forte qu'elle pouvait enfin imaginer nourrir quelque vengeance contre André, dont elle promenait comme l'objet premier d'une première bataille, la lettre reçue la veille et dans laquelle il osait s'humilier, veule qu'il était, clamait Catherine, au point de lui demander pardon, lui dire qu'il quitterait Julie, ça c'est certain, la supplier de revenir, lui promettant un autre enfant, lorsque les temps seraient meilleurs, on verra tous les deux, reviens, je t'en supplie. «Des temps meilleurs? on verra ça», lançait Catherine aux cieux et à nous, après nous avoir lu, avec ce ton ironique qui lui sied bien, la lettre larmoyante, mélo à souhait. «Des temps meilleurs? je vais lui en faire, moi, des temps meilleurs, des bébés et des pardons.» Catherine m'avait exposé sa stratégie, au petit déjeuner. C'était simple: elle ne répondrait pas! Il pourrait bien lui écrire des tonnes de lettres, enfiler ses regrets et pleurnicheries pendant des kilomètres d'autoroute, quitter des milliers de Julie et promettre des montagnes d'enfants, elle, Catherine, ne bougerait pas, ferait la morte.

— Tu verras, je te jure, il pourra franchir l'Himalaya pour moi, grimper, puis débouler, se déchirer peau et ongles et recommencer, je le regarderai d'en haut et je ne bougerai pas.

Catherine savourait la scène imaginaire, plongeait son regard vers des abîmes que, seule, elle semblait voir (je ne voyais que le plancher, les miettes sous la table et pensais que je devrais le laver au plus tôt), et la colère tracée sur ses lèvres, l'air de mépris voilant son regard la rendaient toute à sa jeune beauté de femme douce mais guerrière.

Hubert, lui, travaillait à son ordinateur et, comme une ombre songeuse, venait près de nous sans nous voir vraiment, se versait un café, disait: «Je m'occuperai du barbecue» et retournait à ses programmes, ses livres et papiers, c'était le bonheur.

Pendant que nous lavions et coupions tous les petits légumes, Charles m'entretenait de ses dernières pensées. Il était remonté du sous-sol vers quatre heures, tenant une feuille et disant:

— Écoute ce que j'ai écrit depuis hier.

Il m'avait mis en mots «l'ensemble de Mandelbrot» et, tout en lisant, me montrait le dessin (comme une fine et complexe dentelle d'escargots lumineux) qu'il s'était appliqué à recopier de son livre de physique. Je trouvais son texte magnifique, lui disais:

— C'est un poème, tu pourrais publier.

Charles me regardait comme si j'étais tombée d'une autre planète.

— Publier? T'es drôle, toi, quand tu vois de l'écriture, tu penses à publier, t'es drôle, c'est pas un poème, c'est la formule en mots de «l'ensemble de Mandelbrot».

Je ne connaissais rien à cet ensemble ni à tous les autres d'ailleurs dont il meublait son intelligence. Je le trouvais tout simplement beau, son texte, je me sou-

viens encore de certaines chutes de phrases, «la pour-
pre ailée» et «mémoire d'ailes dues», elles me rame-
naient aux issues musicales de Mallarmé, mais Charles,
n'ayant pas lu les poètes, surtout pas les plus grands,
était en quelque sorte mallarméen sans la lettre. C'est
ce que je lui disais, il souriait sans plus.

Puis, je lui avais demandé ce qu'il pensait de cette
formidable phrase de Cioran qui me disait beaucoup tout
en m'échappant: «Je vis parce que les montagnes ne savent pas rire, ni les vers de terre chanter.» Il la trouvait
tout aussi merveilleuse, mais ne savait pas plus s'en expliquer. Nous en parlâmes et les raisons qui faisaient que
nous ne la comprenions pas étaient complètement différentes. Comment voulez-vous qu'elle devînt claire,
puisque nous ne comprenions même pas entre nous,
pourtant si proches, les motifs de sa fuite? Alors, comme
plusieurs autres phrases, à la fois lumineuses et opaques,
nous la laissions flotter vers son épaisseur muette, nous
la rendions à son énigme et la chargions en plus, le
temps de son passage, de nos énigmes propres.

Charles venait de me demander: «Tu veux que
j'aille chercher des herbes au jardin?», Hubert lentement se déplaçait vers nous et l'apéro quand l'ouragan
Alice s'abattit sur notre maison.

❏

C'est au jardin qu'elle fit son entrée. En un instant,
l'espace quiet fut envahi par ses gestes et cris. Dans
un temps record, Alice avait parcouru toute la propriété,
dehors et dedans, salué fougueusement tous ses occu-
pants:

— C'est moi, j'arrive, comment ça va, on est venu
vous dire bonjour en passant, Maurice et moi. (Maurice,
c'était son homme, son «petit mari», il la suivait partout
comme une ombre, était doux comme c'est pas possi-

ble. Maurice et Alice, ça faisait drôle. Parfois, entre nous, on les appelait Malice, mais il ne fallait pas se tromper en leur présence, ce que je fis un jour à mes dépens, j'avais dit: «Malice, tu veux une pomme?» ou quelque chose comme ça, j'avais reçu en pleine figure un torchon à vaisselle, brûlant et tout dégoulinant.) On a pensé s'arrêter un petit peu, lançait-elle à travers ses cascades de rires, comme elle, grasses et aiguës.

Elle avait embrassé Catherine, fait le tour des petits jardins et potagers, secoué les branches du cerisier, accroché Chat en passant, scruté l'horizon, s'exclamant:

— Que c'est beau ici, chanceux, vous autres! nous autres, on vit dans un vrai trou, hein Maurice? Qu'est-ce que t'en penses?

Elle était entrée en coup de vent dans la maison, avait failli nous fracasser les os en nous faisant la bise, à Charles et moi (Alice était énorme: grande et grosse, forte et solide, comme démesurée...), puis, une branche de céleri piquée sur le comptoir, elle s'était précipitée vers le bureau d'Hubert qui, sentant le danger, était vite retourné à son fauteuil.

— Tu m'as pas entendue, disait Alice, on est là, Maurice est avec moi. On est juste venu dire un petit bonjour, en passant. J'ai sorti Maurice de son trou, lui puis son boulot, y faut qu'y prenne de l'air, de temps en temps.

Je vis Hubert paraître dans le couloir, l'air résigné de l'animal qu'on tire vers l'abattoir. Elle le traînait en effet, l'enserrant par la taille, ébouriffant ses cheveux et pinçant son menton.

— Hein, c'est une bonne idée, disait-elle à Maurice, ils ont l'air en forme, nos amis, hein? Ah! c'est bon, l'air salin, le grand large, ça fait du bien, vous êtes en super forme, c'est beau d'vous voir comme ça, hein Maurice? On va prendre un p'tit coup avec vous.

Ah, non! Un vent d'horreur siffla entre nous. On s'est tous regardé avec cet air entendu, si Alice s'est remise à boire, on n'a pas fini, malheur de malheur, qu'est-ce qu'on a fait aux cieux pour qu'elle nous tombe dessus aujourd'hui? Et pourquoi aujourd'hui?

Alice disait d'elle-même: «Je suis une romancière forcée, puisqu'il n'y a pas moyen de faire autrement»; nous l'avions lue avec bonheur, les premiers temps, mais l'œuvre tournait au vinaigre avec l'âge, ce qui n'empêchait pas un certain succès, alors que nous, ses proches, avions abandonné sa prose délirante dont nous connaissions les moindres fibres anecdotiques. Nous les avions trop subies pour nous en délecter.

Alcoolique invétérée, elle s'était abîmée corps et âme avec les années et son intelligence, si vive et enjouée au début, s'était embuée dans une espèce de désespoir vitriolique où le sarcasme et le cynisme n'avaient fait que gagner du terrain sur un sol à l'humour fin qui brillait autrefois de tous ses feux. J'avais, pour ma part, fréquenté tous ses délires, le tremens d'abord, à sa demande, lors d'une de ses nombreuses cures de désintoxication — celui-ci était classique et correspondait à tout ce que j'en avais lu: Alice, que nous surnommions aussi entre nous «Alice au pays d'la bouteille», se mettait alors à ressembler étrangement à son homonyme, mais en plus tragique. Elle entrait dans des gueules de monstres, parcourait des labyrinthes gluants remplis de petites bêtes menaçantes, souris mauves ou fourmis à dents de loup, elle me suppliait de les chasser, ce qu'en vain je tentais, elle les voyait partout sur le rebord de sa fenêtre, car elle avait alors ce don de bilocation qui la faisait à la fois se trouver dans d'infernales jungles et dans son lit d'hôpital; puis, ce furent les délires post-tremens de l'impossible sevrage où elle devenait mégalo-parano, se prenant pour la plus grande romancière de tous les temps et s'en prenant à tous les autres, les plus grands, il va sans dire, les vivants, bien entendu, ceux et celles qui avaient le malheur d'être reconnus et célébrés.

— Ah! les minables, disait Alice, le corps en sueur et l'œil vengeur, ah! les salauds, les hypocrites, ils sont à genoux sur la scène, à quatre pattes dans leur merde, j'te dis, la langue sortie comme des chiens débiles, ah! les écœurants, ils se vautrent dans leur merde, ça pue, tu les as vus? Chasse-les d'ici, fais-les disparaître, j'veux plus en voir un seul, j'les vomis tous...

En général, après ces scènes, Alice vomissait réellement tout son fiel et s'endormait, le temps d'une petite trêve.

Je préférais quand même le premier délire au second, mais un beau jour, les quittai tous les deux, ne me sentant plus la force de suivre Alice dans les méandres turbulents de son monde d'angoisse, n'eus pas à le lui dire, perspicace, elle avait deviné, ne dit rien mais m'en voulut, je le vis, le sentis. Un trait définitivement silencieux fut alors tiré sur notre vieille amitié.

Cette soirée du 12 juillet, nous ne l'oublierons pas de sitôt. Nous mangeâmes au jardin, mais dûmes rentrer au fromage, le brouillard s'étant mis à couvrir tout et à nous recouvrir comme un manteau gelant. Tout se déroula plutôt bien jusque-là et ce fut en dedans, pourquoi? on ne saura jamais, que la foudre éclata.

Malice était déchaînée. Tout y passait, de ses anciennes hargnes, de ses folles rancœurs. Plus elle buvait, plus elle affûtait sa langue, les vipères en sortaient, nous les voyions se tordre et filer, médusés que nous étions par autant de vélocité haineuse.

Du plus lointain de sa solitude éthylique, elle vociféra injures et condamnations toute cette longue soirée. On n'en pouvait plus. Je me demandais par-devers moi ce que Maurice faisait encore avec Alice et je compris en un *flash*, alors que j'avais quitté la table pour m'occuper au lave-vaisselle, que ce malheur entier d'Alice, qu'il traînait depuis un quart de siècle, prenait toute la place et recouvrait son propre vide, l'empêchant de prendre la mesure démesurée de son désastre à lui.

Catherine et Charles s'étaient retirés au salon après m'avoir demandé quelle musique j'aimerais entendre. J'avais dit «California Blue», avec Roy Oberson. C'était doux et si beau et on pourrait danser, peut-être. Alice semblait se calmer un peu et dériver vers un semi-coma que nous connaissions bien, la tête tombée sur le bras replié, un léger ronflement scandant les propos d'Hubert et de Maurice qui, tenant bon au scotch, s'étaient mis à parler du fameux et ennuyeux lac Meech. Et soudain, au-dessus de tous ces sons familiers et feutrés, la voix tonitruante d'Alice déchira l'atmosphère:

— Connards de débiles, disait-elle, «California Blue», quelle niaiserie! tu écoutes encore cette mélasse? (Elle s'adressait à moi, mais j'avais opté pour le mutisme, connaissant bien sa violence légendaire.) Et puis vous autres, les deux nouilles, vous déconnez encore sur le lac Meech, tas d'ordures, salauds de politicailleurs, qu'ils crèvent et coulent tous dans leur lac, ami, remplis mon verre, Maurice, verse-moi du scotch.

Ce qu'il fit, le pauvre, se resservant lui-même.

Alors Charles, du haut de son autorité et de la pureté de ses vingt-quatre années écolo, vint vers nous et dit:

— Bon, moi, j'en peux plus, j'm'en vais dehors, j'm'en vais camper et dormir dans ma grotte.

Charles, parfois ermite, s'était déniché une crypte sur l'Islet Canuel. Il y partait parfois un jour ou deux, en revenait toujours avec des histoires fantastiques dignes des *Mille et une nuits*. Il descendit préparer ses effets, revint saluer toute la compagnie, se tint loin de notre furie, la regarda d'un air magnanime teinté de pitié, fit trois pas vers la sortie, se retourna et dit, d'un ton à la fois ferme et timide:

— Moi, chus pour l'harmonie.

Et il s'éclipsa.

Maurice prit son malheur à bras le corps et s'engagea, voûté et essoufflé, vers la porte de sortie pendant que nous ramassions chaussures et sac d'Alice et les accompagnions dehors. Catherine, elle, s'était endormie sur le divan du salon, un sourire angélique au coin des lèvres, allez donc savoir pourquoi. Dans l'allée qui conduit au grand chemin, Malice se réveilla, le temps de donner un coup de pied à notre auto, au son d'une volée d'injures. Elle accusait notre voiture de l'avoir frappée, se prenait le pied à deux mains et s'écroulait de tout son long dans les herbes fraîches vite souillées par les larmes et la bave enfin libérées. J'avais, quant à moi, un sanglot en travers de la gorge, je pris la main toute chaude d'Hubert et dis:

— Rentrons, c'est fini.

À cet instant précis, je ne savais pas si bien dire. Nous entendîmes Alice hurler «Je vous aime, laissez-moi pas tomber», mais elle l'était déjà.

Le lendemain, comme par un fait exprès, le temps du dehors nous invitait au calme du dedans. Le brouillard était tel qu'on ne se serait pas vu à deux pas, on eût pu le couper au couteau. Les arbres, on les sentait seulement derrière leur voile opaque, l'île Saint-Barnabé n'était plus qu'un souvenir d'île et la ligne d'horizon, disparue, tout juste bonne à devenir ligne de poème.

Tout était rond et feutré. Je me risquai au jardin, le temps d'une brève rêverie. Tous les bruits s'étaient tus, les oiseaux disparus. Je me sentais comme dans des «pantoufles de mousse», et je saluais le poète Norge de cette heureuse expression. Je me souviens avoir été saisie quand, sur la route, je vis une bizarre forme se glisser entre les filets laiteux de la brume. Je ne bougeai plus, retins mon souffle, scrutai l'étrange objet se dirigeant tout droit sur moi, mais j'entendis mon nom, comme au sortir d'un rêve méandreux. C'était Charles, la voix de Charles qui, elle, semblait revenir d'un infini voyage.

Il avait mis des heures à ce retour, son bâton de pèlerin pour guide, il était transi, s'en vint boire avec moi un café, tout à ses songes, à son silence réfléchi et s'en fut dormir, bien au chaud, une bonne partie de la journée. Il m'avait dit: «J'ai quelque chose d'important à te dire», mais avant tout, il voulait se reposer.

Chat, comme à l'accoutumée, nous donna ce jour-là une leçon de chats. Pareil à la boule terrestre sans horizon, il s'était couché depuis le petit matin, en rond sur son pouf de prédilection, la tête enfouie sous un petit coussin. Quand on ne peut rien voir, aussi bien s'abstraire de tout champ de vision.

Combien de temps l'ai-je regardé dormir? Je ne me souviens plus, mais j'ai encore la mémoire vive du rêve que je fis après m'être assoupie, du retour à ma table d'écriture, dès le réveil, du stylo qui se mit à courir sur la feuille, sans transition, il y avait ce rêve, déjà qui n'était plus, mais qui me conduisait, et comme à mon insu, vers l'écrit insolite, relu tant de fois depuis. Il disait, c'est très simple, *l'écriture, c'est ma mère*.

Quelle évidence, en ce jour au-dehors sans frontières, au-dedans vaste où ça sommeille, paisible! Quelle évidence qui soudain peut courir sous la plume, après la bourrasque Alice qui m'avait fait me poser une autre fois, à travers les débris de cuisine, l'impossible et futile dilemme que j'avais cru, du haut d'une fumeuse science, résolu: «Entre l'écriture et ma mère, je choisis ma mère», comme si cela était un choix possible, relevant d'une quelconque morale, comme si cela constituait l'enjeu d'une essentielle question! Tout s'évanouissait ce jour-là dans cet univers flou, sans bornes ni repères. Alice ne saura jamais pourquoi ni comment, au sortir de quels sinueux couloirs du rêve, elle me remit, par sa seule absence que j'ai dû, alors, sentir définitive, au seul chemin de l'écriture qui se déroule, là où plus rien n'est clair ni certain.

Alice, je te bénis maintenant pour ce seul petit chemin dont, à ton insu, tu m'indiquas la voie. Je te bénis, toi maintenant si loin, mais bien plus loin encore puisqu'en fait, tu n'es plus. Mais j'anticipe, ce n'est pas aujourd'hui — et pas encore demain —, que je raconterai ce qui t'advint après, peu de temps après la soirée de tempête où, sans savoir, nous nous fîmes nos adieux. Alice, je te bénis, toi qui es maintenant ce qu'on dit d'un seul mot, toujours et à jamais, toi qui es morte.

❑

Dans les jours qui suivirent, j'écrivis «L'écriture, c'est ma mère», viatique dès lors et encore aujourd'hui. Je marchai dans les bois, puis le long des champs d'où je revenais les bras chargés de fleurs; j'arpentai les sentiers du littoral, ramassant galets et pierres sur lesquelles, le soir venu, je dessinais; certains jours de grands vents, je mettais mes hautes bottes et partais à travers prés salés et batture. Parfois Catherine m'accompagnait. On parlait ou bien on se taisait, à l'écoute des choses que notre présence attentive éveillait.

Le plus souvent, je partais seule, après mes quatre pages matinales d'écriture — c'est ce que je m'étais imposée pour le roman qui lentement prenait forme.

Un matin — j'y repense à cause du rêve de cette nuit qui m'en ramena les débris —, je marchais dans le sentier longeant mon champ préféré (dans sa disposition d'herbes et de fleurs, dans la distribution de ses couleurs, ce champ fut, durant une bonne semaine, le portrait vivant d'un tableau de Monet), quand une scène étrange vint attirer mon attention. Ça se passait sur la route principale, non loin de là (on l'appelle tout simplement la 132). Je vis ce qui semblait être un convoi funéraire, mais il était arrêté et tout autour, il y avait un attroupement nerveux, des ambulances et tout ce qui ressemble à un gros accident.

Je décidai d'aller voir de plus près. Quelle horreur! C'était, en effet, un très gros accident: à quelques mètres du cimetière où il allait s'engager, le cortège funèbre avait été happé et éventré par un énorme camion-citerne. Il y avait des blessés, des morts tout de deuil costumés et le Mort, ça c'est le plus terrible, gisait partout en tout sens, un bras par-ci, une tête par-là, un policier courait, rassemblant les morceaux. Près de moi, il y avait un soulier, brillant au soleil, tout neuf et de cuir verni, noir, évidemment, comme un petit tombeau dégarni; j'hésitai, eus soudain très peur, ne pus même y toucher; le policier, l'ayant vu, fit son devoir sous mes yeux médusés. Je rencontrai son regard, fuyant, affolé; c'était un tout jeune homme, encore presque un enfant; je le vis repartir avec le soulier. Je me souviens avoir pensé: c'est le «soulier de satin» à l'envers, le soulier de la mort, pas celui de la vie, le soulier de douleur, pas celui du bonheur et cette nuit, dans mon rêve, je vis un tout jeune homme, amoureux, portant entre ses mains une poupée de satin qu'il venait de cueillir du ventre de sa bien-aimée; elle, on ne la voyait pas, elle dormait plus loin dans les herbes et le soulier, posé sur le ventre du mort accidenté, avait le pouvoir magique de le ressusciter.

De retour à la maison, Hubert, Catherine et Charles m'annoncèrent, ce qu'au fond je savais imminent: la mort d'Alice, la veille, au CHUL de Québec où elle était entrée, le foie comme une pierre, en état comateux, son dernier manuscrit qu'elle tenait, a dit Maurice, tout pressé sur son ventre comme un bébé, avec, dedans, l'écriture d'un grand rêve jamais réalisé, du moins, est-ce ainsi que je le lus lorsque, posthume, il fut publié.

❑

Maurice avait dit qu'il me rappellerait durant la soirée pour les «derniers arrangements». Les funérailles auraient lieu dans son village natal, je devrais dire, le nôtre, puisque c'est aussi le mien, certains membres de nos familles y vivaient toujours; en fait, nous étions de la même tribu, Alice et moi (en plus d'avoir été les meilleures amies du monde, à l'adolescence et durant toute la vingtaine: Alice avait six ans de plus que moi), son aïeule paternelle avait épousé mon aïeul maternel, nous étions cousines de la «fesse gauche», comme disait ma mère et de plus, quelques-uns des descendants des deux branches s'étaient épousés; il risquait d'y avoir un monde fou aux funérailles et la réception qui suivrait, comme on dit dans notre pays, se transformerait sans doute en fête prolongée, la tribu était nombreuse et Alice, malgré toute sa malice, était estimée et même beaucoup aimée.

Elle avait laissé à Maurice un testament holographe dans lequel elle léguait tous ses biens (droits d'auteur, manuscrits, un peu d'argent et de nombreux objets) et exprimait toutes ses dernières volontés. Elle n'avait rien négligé et c'était étonnant quand on songeait au désordre apparent de sa vie où l'alcool tint une aussi grande place. Maurice voulait me lire le testament dans le train qui nous descendrait à Amqui, notre village de la vallée de la Matapédia, car Alice avait demandé d'être incinérée à Québec et que ses cendres soient amenées en train par Maurice et inhumées dans le lot familial du cimetière. Elle voulait une cérémonie religieuse à l'église du village, ce qui eût pu nous étonner aussi de la part d'une athée et agnostique notoire, mais à bien y penser et connaissant son sens légendaire de la fête, elle savait bien qu'en ces contrées, l'église demeure encore le plus grand lieu de rassemblement.

Maurice désirait donc que je l'accompagne pour la suite du voyage en train. J'acceptai, bien sûr, même si je n'avais pas l'esprit funéraire et le cœur au deuil, mais qui a, spontanément, la tête à la mort? On n'est jamais préparé pour ces choses-là.

Je me souviens de cette fin d'après-midi lugubre où les fantômes se rencontraient à chaque tournant, où que je voie; je stoppai toute activité normale, demandai à Hubert de m'accompagner dans le sentier qui conduit au Rocher blanc, en longeant le fleuve au-dessus des falaises; par beau temps, on peut dominer la région entière jusqu'à très loin: à l'ouest, jusqu'aux îles du Bic et à l'est, jusqu'à Pointe-au-Père, on y voit le phare et l'église et même plus loin, si l'on scrute bien, jusqu'à l'église sur la pointe de Sainte-Luce. Hubert accepta sans se faire prier, d'autant plus qu'il en avait ras-le-bol de tout ce tumulte et que, comme moi, il se sentait plutôt désœuvré.

Nous, Hubert et moi, quand on est désœuvré — sans œuvre, avec des projets qui s'effilochent —, on ne se comprend plus, chacun pour soi et les uns pour les autres, on n'est plus du monde, «plus parlable», comme on dit.

Catherine et Charles avaient décidé de rester à la maison pour jouer une partie de scrabble, se reposer et recevoir les appels téléphoniques. Les deux avaient des ailes, ce jour-là: Catherine continuait de cultiver sa vengeance, elle savourait la quatrième lettre repentante d'André reçue le matin et Charles, en plus d'avoir mis au point un théorème de son cru (qu'il avait expliqué, ravi, sous le feu de la découverte, à un auditoire ignare et médusé), avait reçu un coup de fil de sa dulcinée qui, triomphant de toutes les embûches, s'était libérée et annonçait sa venue pour le reste des vacances. Bénie sois-tu, jeune Ophélie ressuscitée, qui procure à ce jeune poète chéri tant de merveilleux émois! Bénie sois-tu jusqu'à la fin du monde et quoi qu'il advienne, pensais-je le long du sentier regorgeant de fleurs et de framboisiers odorants!

Nous marchions main dans la main, Hubert et moi, nous marchions en silence, nous séparant quand il fallait sauter d'un rocher à l'autre, sur le sentier escarpé. Sur la plus haute falaise, celle qui surplombe la mer et permet au regard d'outrepasser l'Islet Canuel et au-delà, nous nous assîmes quelque temps. Sur ce rocher, rose-beige-orangé, nous nous sentions comme dans un grand lit frais d'où l'on peut contempler toutes les gammes, tous les tons de l'eau et du ciel, au soleil couchant, tous les mouvements de l'air et des oiseaux, tous les bruissements des feuilles et des petits animaux, mais aussi tous les frémissements du corps quand, au diapason des éléments, la respiration reprend enfin son rythme, ses droits.

Je ne sais plus comment, mais en une fraction de seconde faisant suite au cri plaintif d'une mouette, je sentis en moi, du plus profond, comme un immense cri traçant son chemin jusqu'à la gorge et dans la bouche qui s'ouvrit toute seule et le laissa sortir comme il était venu. Il n'y eut pas d'écho, je me souviens, c'est comme si le cri était tombé tout droit dans la mer, loin en bas. Hubert n'avait pas l'air plus étonné que moi. En fait, Hubert savait tout autant que moi, que le deuil à venir dans la vallée de larmes commençait par ce seul cri-là.

À bien y penser depuis, le cri concernait toute la grande tribu dispersée maintenant aux quatre coins du pays, tous ceux, disparus souvent de façon tragique et gisant un peu partout dans des cimetières perdus et tous ceux-là, vivants, qui se retrouveraient dans le deuil d'Alice, mais aussi dans tous leurs petits et grands deuils cachés que celui d'Alice ferait éclore, le temps des retrouvailles.

Quant à la pauvre Alice, il y avait bien longtemps, qu'en moi, une rupture avait été consommée, une rupture partielle, ainsi que j'en nommais certaines, celles qui se font au-dedans et sans bruit, qui prévoient et annoncent pour soi la mort, ruptures définitives, mais silencieuses, muettes qui dessinent en soi l'éternelle fin.

Je confiai ces pensées effilochées à Hubert qui me raconta encore la mort de sa mère et je fus consolée. Seuls les deuils amoureux peuvent guérir des autres, seul le mal d'amour guérit le mal de mort. J'entendais les mots d'Hubert qui me berçaient comme les vagues, en bas; j'entendais mes propres mots d'amour quand je berçais mes enfants, petits; j'entendis une berceuse que je chantais sans l'avoir apprise vraiment, qui remontait du fond des âges, de l'immense vasque éternelle et de génération en génération. Je revins du sentier, pacifiée. Je pourrais affronter le désastre de Maurice et tous ceux-là multiples, de la grande tribu.

❏

Le lendemain, à minuit, je pris le train pour Amqui. Hubert viendrait nous rejoindre en auto pour les funérailles qui avaient lieu l'après-midi suivant. Catherine et Charles gardaient Chat et la maison, attendant Ophélie qui descendait de Montréal par autobus.

C'est un Maurice décomposé que j'aperçus dans le train. Il était tout à sa douleur d'Alice, comme il le fut à son malheur pendant un quart de siècle. Perdu dans ses rêveries sombres, on aurait dit qu'il se concentrait pour mieux souffrir, ne rien échapper des restes de ce drame qui tout entier fut sien, miettes déposées dans l'urne d'albâtre, là, à ses côtés, cendres contenues comme ses larmes à lui, comme ses mots. Maurice était muet, me regardait à peine. J'avais froid. Maurice fixait son lugubre trésor et dans cette tombe roulante qui nous menait vers le pays d'enfance, je m'endormis sans rêves. Comment peut-on rêver quand la mort est en face, que, sans corps, elle vous nargue, au fond d'un vase clos qui brille, lune noire qui fut femme, qui gît là, sans bouche et sans yeux?

Comme au sortir d'un couloir de ténèbres, j'entendis, amplifiée, la voix de Maurice, elle disait:

— Tu veux que je te lise le testament?

Le testament? Ce mot me sembla s'échouer d'un autre âge et, sans y réfléchir, j'entendis ma voix répondre: «Demain, si tu veux», pendant qu'à la fenêtre, je voyais un autre jour encore se lever.

❑

Je suis revenue des funérailles avec une seule idée en tête: faire le vide. J'avais vécu tellement de cérémonies, rituels, événements de toutes sortes que là, j'avais envie de silence et de paix. J'avais vu tellement de monde de la grande tribu, partagé tellement de leurs grandeurs et misères que je désirais une chose toute simple en apparence mais pas facile à réaliser: être seule. Peut-être pas pour bien longtemps, je ne voulais même pas réfléchir à ces contingences. Je ne voulais même plus penser. Ni voir certaines images effrayantes qui m'avaient bouleversée.

Sans me fâcher avec personne de ma maison, je décidai (pendant le voyage de retour en auto, le long de la route du sommet d'où l'on voit mieux le fleuve, tout le monde rêvassait dans la voiture ou, de temps en temps, exprimait un bref commentaire — toujours drôle, on n'en pouvait plus) de partir à l'hôtel. Je voulais une chambre impeccable avec vue sur le fleuve, sans trop de laideurs autour. J'étais si déterminée dans mon projet (qui n'avait d'autre contenu que celui d'être là) que je trouvai parfaitement ce qu'il me fallait. Je n'eus même pas à chercher longtemps tellement mon désir de trouver était grand.

En fait, mon projet, d'abord neutre, sans autre contenu que celui d'être seule (et de faire le vide), se précisa assez vite, je le sus dès le premier soir, à l'hôtel: je reprendrais là l'écriture de mon roman.

Je me sentais d'autant plus libre de quitter ma maison — je devrais dire aussi notre maison — que tous ses habitants me semblaient sur la même longueur d'onde que moi. Je voyais à leurs silences, ou bien à leurs drôleries fatiguées, que chacun, les jeunes autant que les vieux, avait un urgent besoin de paix et de retour à ses travaux ou bien encore à ses rêveries.

Je les avais quittés avec un double sentiment: un peu triste, mais allègrement. De plus, je sentais que cet état paradoxal était le même pour tous. On était allé si loin dans l'expérience des choses bouleversantes de la grande tribu, qu'on n'avait même plus l'énergie de nous expliquer mutuellement ce que nous étions en train de vivre. De toute façon, on savait. On n'avait qu'à se regarder et on comprenait des tas de questions sans mots. Avec toutes nos différences, notre fraternité, si je puis dire, notre amitié était si grande, que, devant les choses essentielles de la vie, le plus souvent, on devenait silencieux entre nous. Pas muets. Silencieux.

Ce qu'on avait vécu durant ces deux trois jours autour des funérailles était si démesurément complexe, que chacun — on le sentait très fort, mais sans le dire — avait maintenant besoin d'un petit temps de désert. Je ne savais rien de la grandeur de leur temps, ni de la mienne, je savais seulement que mon temps à moi devait se passer dans une chambre d'hôtel (avec vue sur le fleuve). Quand on n'a pas la possibilité d'aller dans le vrai désert, on s'en invente un. N'importe où et à sa mesure. Mon désert serait donc cette chambre d'hôtel, mais ma mesure était grande. Aux proportions gigantesques de ce que j'avais vécu dans le village d'origine des membres de la grande tribu.

Ma chambre était parfaite. Je ne demandais pas le luxe. Je désirais la beauté sobre, le confort, une bonne table d'écriture, un éclairage efficace et subtil, la tranquillité de l'entourage et une cuisinette: je mangerais peu mais bien et surtout, je mangerais seule. J'avais apporté quelques livres, du papier, des stylos, une lampe, mon matériel à dessin, quelques photos, la correspondance, les comptes, un dessin que j'aimais, ma radio-cassette, quelques cassettes, un réveille-matin, des vêtements confortables et quelques objets utiles. J'avais mis au point tous les détails matériels de l'équipement. On n'est pas obligé de partir bien loin pour préparer un long voyage.

Le premier jour, après m'être installée, je redescendis faire des courses, pas trop: j'avais le sentiment d'effectuer un approvisionnement de survie. Je choisissais l'essentiel. Je n'ai jamais aussi bien réfléchi devant les étalages de marchandises. Le plus souvent, j'ai une liste, mais je déroge, je rêvasse, me laisse tenter par des tas de choses, au fond, inutiles, mais que j'aime bien ou qui, je sais, plairont aux gens de ma maison. Mais là, j'étais inflexible. Je m'en tenais à ma liste, fort bien étudiée par ailleurs, je lisais même les étiquettes, je regardais les prix — ce que je ne fais pas d'habitude —, je supputais, comparais. Il faut dire qu'étant donné le prix que me coûterait ce séjour au désert d'à côté, j'avais décidé de m'en tenir au minimum pour le reste. Je devais compenser les dépenses un peu folles de l'hébergement par une espèce d'austérité pour les autres nécessités vitales. En fait, j'étais bien contente qu'il en soit ainsi, je n'avais pas l'impression de faire des sacrifices et ne me sentais pas héroïque non plus. Mon corps, tout autant que mon esprit, avait besoin de repos. Mais je m'achetai un bouquet de fleurs, très belles et qui le seraient encore, séchées.

Au retour, je rêvai un bon bout de temps en faisant mille et une petites choses. Et puis, je mis une première musique, je ne l'avais pas écoutée depuis au moins un an: *La Traviata* de Verdi. C'est en entendant les premières mesures que je pensai reprendre mon roman. Sans même me poser de questions, je me dirigeai vers le cartable où se trouvaient les premiers chapitres — pas relus depuis leur écriture —, je l'ouvris, retournai les pages déjà faites, disposai devant moi sur la table une pile de pages blanches, paginai là où j'étais rendue et commençai. Le stylo marchait tout seul. Je savais que j'étais repartie. Pour combien de temps? Je n'en savais strictement rien.

Le lendemain, je décidai de tout recommencer. J'inscrivis d'abord le nouveau titre. C'est la première respiration. Et ainsi, pendant les jours suivants, défila l'écriture vierge. Jusqu'à la fin du livre rêvé.

Je revins à la maison pour faire le grand ménage, plier bagage et pour la refermer.

Les trois coffrets

Elle s'était déplacée soudain. De l'autre côté de la rivière. Parce qu'autrement, il faisait trop chaud et elle risquait de brûler vive dans le feu. Et aussi, parce qu'autrement elle était trop petite.

Un incendie rage et, trop petite, on ne peut, mais pas du tout, le vaincre, l'éteindre avec l'eau et le cerner par des tranchées.

Heureusement que la passerelle de bois n'avait pas été touchée. Seule façon de fuir de l'autre côté, car autrement, trop petite pour seulement nager. Je ne dis pas si sa mère l'avait mise à l'eau plus jeune, comme font les mamans modernes et débrouillardes. Mais sa mère était vieille et ancienne. Sa mère était très ancienne. Elle était née avec le siècle, vous rendez-vous compte?

Il y avait deux siècles ramassés dans sa mémoire de quatre ans. C'est beaucoup.

C'est ce qu'elle avait pensé, traversant la passerelle, entendant crépiter le feu et voyant s'abattre les petits oiseaux un à un, roussis, calcinés. Leurs mères devaient être parties chercher des graines, loin dans les champs et leurs pères, plus loin, chasser.

Alors, seule témoin du crime, elle était restée là jusqu'à la lune. Jusqu'à la lune, elle n'avait pas bougé. À peine bougé.

Juste le temps d'apercevoir. Juste le temps de sentir les tremblements du feu dans la lune. Juste le temps de comprendre l'eau.

Toucher les éléments jusqu'au corps qui vacille.

Et garder la mémoire de l'univers qui brûle dans la nuit.

❑

Pas étonnant qu'à dix ans, l'été si chaud fût riche en enseignements.

La rivière avait gardé latentes ses révélations, intacts ses secrets.

❑

C'est l'heure de la sieste. Samuel est mort depuis longtemps. Ma mère n'avait pas voulu se rendre aux funérailles. Elle ne pardonnait pas ce viol de moi.

Je suis allongée sur ce lit d'hôpital. Tout est blanc. Il vente tout le temps depuis trois jours. J'entends le bruissement des feuilles à ma fenêtre. Cet énorme érable est le seul qui me parle. Je n'attends plus d'amis. Il fait chaud. Si chaud. C'est la canicule d'août. Les cigales, par dizaines, viennent s'écraser sur la vitre de ma fenêtre. La moustiquaire les empêche d'entrer. Elles n'apprennent pas les unes des autres et viennent toutes s'échouer tour à tour.

J'assiste, impuissante, au suicide collectif des cigales. Elles impriment lourdement leurs petits corps sur la vitre et ça dessine un bouquet au fil des heures.

❑

Dans l'un de ses carnets, Pauline avait inscrit ce titre de Pessõa: «Autopsychobiographie». La scriptrice avait barré ce mot que je parvins tout de même à lire. De quel droit, je me demande, avait-elle osé biffer cela?

Une petite note justifiait peut-être son geste: «Seulement quand j'aurai raconté le rêve des *trois coffrets*.» C'est tout.

Aujourd'hui, c'est encore l'hiver. C'est tellement souvent l'hiver par ici.

Je n'ai pas reçu de nouvelles de Maurice depuis pas mal de temps. La dernière fois, il s'était enfermé chez lui pour mettre au point les préparatifs de sa longue mort: alcool tous les jours, du matin au soir et sans discernement, lectures sombres à fortes doses et désespoir généralisé, savamment entretenu.

Une énorme chatte noire traînant sa portée, vient se reposer sous la galerie grise, de l'autre côté de la rue. Ce doit être de nouveau l'été.

❑

Au cimetière, quelqu'un vient tous les matins déposer des fleurs sur la tombe d'Alice. Des pivoines, des roses, des pensées ou des épilobes, selon le temps de floraison. On ne sait pas qui. L'hiver, personne ne vient.

Je suis retournée à la maison de l'Écriture, ai frappé et me suis présentée tel que prévu. On ne m'a pas reconnue. Ils m'ont prise pour une étrangère et c'est ce que je suis.

J'ai poliment demandé la permission de parcourir les pièces et d'aller au jardin. Ils m'ont regardée d'un air interrogateur, ils étaient nombreux, mais ils ont acquiescé. J'ai passé deux bonnes heures partout dans les chambres et j'ai rêvé, comme on rêve éveillé.

Au jardin, les feuilles tombaient. C'était l'automne. Cette saison arrive toujours plus vite que les autres. J'ai regardé au loin. Tout était clair, la ligne de la Côte-Nord bien dessinée et l'île Saint-Barnabé avait à peine bougé. Les choses se meuvent imperceptiblement quand on les quitte. Comme les êtres. La marée était basse. Un chien se promenait seul sur la batture. Mais non, son maître le suivait de loin avec un bâton.

J'ai quitté mes hôtes comme j'étais venue, avec quelques mots d'usage seulement et un sourire de convenance.

Je ne les ai pas revus.

Puis, je suis retournée quelques jours au même hôtel, terminer mon roman. Et décidai de m'installer de ce côté de la terre où c'est plus vaste, plus calme.

Hubert est reparti dans son pays. C'était mieux pour lui. Il va vivre longtemps.

Je reçois des nouvelles de tous les points du globe. Je n'ai plus à me déplacer pour voyager.

Catherine et André sont de nouveau ensemble et filent, dit Catherine dans ses lettres, le parfait bonheur. Finalement, ils ont eu leur premier bébé.

Charles continue de m'envoyer ses poèmes. Son dernier tournait autour de cette idée: le temps passe plus vite sur le haut des montagnes qu'en bas dans les vallées. C'est, paraît-il, un principe de la «nouvelle physique». Je ne connais rien à ces choses, mais j'aime bien lire ce qu'il en écrit.

❏

Hier, j'ai rêvé que Marie s'était transformée en statue de sable sur les bords de la rivière Matane. Elle s'était trop vite retournée.

Moi, je l'avais cru morte bien avant, lancée à corps perdu un soir de lune dans la rivière Matapédia. La preuve qu'on peut toujours se tromper.

❏

Je ne conserverai que cet ultime rêve, se déroulant sans cesse au conditionnel comme une bobine infinie.

Si c'était de l'autre côté de la vallée de Josaphat? S'il n'y avait pas de jugement dernier et que cela se passât après? S'il faisait beau — ce serait enfin toujours l'été, toujours la mi-juillet, disons — et que la manne céleste nous tombât dessus à chaque matin?

Nous serions allés nous promener tous ensemble dans les sentiers éternels sans impasses, jamais.

Nous sommes assis en cercle autour d'une mer débordante de vin blanc de neige qui n'enivre jamais jusqu'à ce que mort s'ensuive.

— Toi, tu es morte de quoi?

— J'avais vu trop tôt l'incendie. J'avais en moi un feu que je voulais, par l'eau, éteindre. Et dans cette eau lisse, j'ai voulu retrouver ma mère qui, elle, allait mourir si peu de temps après, du trop grand chagrin de ma perte, je le savais.

— Moi, parce que j'avais tué une fourmi, dans le livre-tombeau du grand cahier noir et gris. Je suis morte au bout de ma peine de ce meurtre. Je me suis lancée d'un vingt-deuxième étage. De là où j'étais, comprenant soudain une infime partie des choses, mais la saisissant en tous sens, il n'y avait pas de petits meurtres ou de meurtres innocents. Là où je fus, pour un instant bref et vif, tuer la fourmi devint tuer l'enfant. Je suis morte du meurtre de cet enfant-là.

— Moi, je suis morte au bout du viol de Samuel et au bout de la peine de maman dans mes bras.

— Moi, Jacob, je suis mort deux fois. La première, tout petit, sous les roues d'un gros camion, dans la ruelle, derrière ma maison et courant après mon ballon rouge et blanc. La deuxième, je suis mort de sa peine finale, dans les bras de maman.

— Moi, je tenais Jacob dans mes bras. Puis mon livre, écrit comme un testament, je suis morte dedans. Je nous ai couchés ensemble, tous les trois sur la rue Papineau. À Montréal, il y a longtemps.

— Moi, c'est en lisant un livre de Cioran. Je buvais depuis des semaines pour noyer mon désespoir. Du whisky. Ma dernière pensée fut pour ma mère à qui je demandai une dernière gorgée. Elle n'entendait rien. Mais elle était si loin. C'est que je la détestai à crever, de mon vivant. Où est-elle? Où es-tu? Maman, je viens d'avoir cinquante-quatre ans.

— Elle s'en vient. Elle a dû marcher si longtemps. Bien plus longtemps que nous autres. Elle est si vieille, ta maman. Elle a trois siècles en elle. C'était son legs de naissance. Elle l'a porté toute seule, lourdement. Courageusement. Ton père n'a jamais su. Lui, il était mort à la guerre, dans les camps. Il a laissé un petit livre, noirci de ses tribulations et peines. C'est ton seul legs à toi. Quand ta mère prit le bateau pour l'Amérique avec toi, tu avais quatre ans, tu t'en souviens? Elle emporta le petit cahier qu'elle voulait te donner, adulte. Mais à quatorze ans, tu la quittas, de révolte et d'insoumission. Tu croyais la haïr, tu t'en souviens? Oh! Samuel, ta mère a traversé son septième désert et s'en vient vers toi, le petit cahier noir à la main.

— Moi, après le viol de la petite, je m'en suis allé mourir à petit feu et si longtemps sur les routes du monde. J'ai violé encore. Pour la retrouver et me perdre en elle à chaque fois. Je la perdis sans cesse, ne la trouvai jamais. D'abord, elle était si petite quand elle me mit au monde. Si fragile, si tendre, le col si étroit. Et moi, si fort déjà, si robuste. Si grand. Démesuré. Je la perforai, l'entendis gémir, puis crier. Je devins fou. Dès ma naissance, je suis fou. Je veux remonter le courant. Retourner dans le ventre de la petite. La petite, c'est maman. On m'a dit que l'éternité était un ventre rond d'où je peux tout recommencer, à l'infini. On m'a dit.

— Moi, je suis morte seule dans un lit d'hôpital. D'un cancer au ventre. À vingt ans. Mon dernier regard fut pour ce bouquet de cigales écrasées, dessiné dans la vitre, en pleine canicule d'août.

— Moi, c'est avec la chatte noire qui allait accoucher sous la galerie de la maison d'en face. Quand je la vis ne pas survivre à sa portée, j'attrapai ma première crise d'hystérie. Une pneumonie d'abord. Puis une colère à tout casser, à ravaler dedans toute larme, à boire dehors tout liquide. Puis, des années plus tard, j'attrapai un premier infarctus. Cependant, j'écrivais toujours des livres avec des chattes, toujours déguisées en personnages. Je criais sans cesse mon premier deuil à l'univers. J'aurais aimé que quelqu'un s'en aperçût. Personne ne vit rien jamais. Je poursuivais, inaltérée. J'attrapai en passant de grands pans de la folie aveugle du monde. Finalement, j'attrapai une cirrhose qui m'emporta. Au cimetière, c'est une chatte divine qui vint chaque matin m'offrir des fleurs. Mais je ne voyais rien. J'étais encore morte. On m'a dit que l'éternité était un immense lit rond où une chatte géante accouchait de tout, y compris de moi-même. On m'a dit.

— Moi, c'est en faisant le rêve des trois coffrets. J'avais très mal à la cheville, juste avant. Mais quand on meurt en rêvant, on ne se souvient jamais plus de rien. On m'a dit que l'éternité était une sphinge rieuse qui remontait d'un précipice, vaste de la terre jusqu'ici. Elle déroule un manuscrit qui encercle l'univers, de la terre d'où nous venons jusqu'aux plus lointaines galaxies. Soudain ses lèvres s'entrouvrent. Des mots sortent de sa bouche. Elle fait entendre le manuscrit. Elle parle les mots écrits. Elle dit les écritures. On m'a dit que l'éternité est ce grand livre déroulé que je comprends. Les lettres s'animent. Tout ce qu'elles touchent sur leur parcours, êtres et choses depuis le fond de terre jusqu'au cœur des étoiles, tout ce qu'elles frôlent, s'allume et s'entend. On m'a dit que l'éternité, c'était l'oreille qui entend soudain ces lettres déroulées d'un bord à l'autre de l'univers jusqu'aux lèvres de la sphinge. On m'a dit.

❏

Je suis allée me promener au bord du grand fleuve. Jusqu'ici, la peste n'est pas encore venue.

À travers la bouche du vent, il vente toujours de ce côté-ci de la terre, j'ai cru entendre la voix de Pauline qui disait:

— Étrange, tu trouves pas? Moi, j'ai basculé dans le vide, il y a vingt-deux ans. Je n'ai pas sauté d'un vingt-deuxième étage. Mais, rêve encore! Je suis morte, il y a vingt-deux ans. Du cœur. Je t'ai écrit une lettre avec mes lèvres bleues, avec ma calligraphie du dimanche et ma plus jolie plume, sur du papier comme ça. Une espèce d'invitation au voyage, tu te souviens? Tu n'as pas eu le temps de répondre. Mais tu l'as d'abord égarée. Puis carrément perdue. Lors d'un changement de maison. Tu t'en es voulu longtemps, mais je ne pouvais plus rien pour toi. Déjà, j'avais retrouvé les bras d'Astyx. Après, plusieurs sont venus me rejoindre. Étrange, tu trouves pas? Quand tu seras sur le pont, ne regarde pas en bas, tu connais ton vertige. Ne te retourne pas non plus, car tu aurais toujours dix ans. Avance! Rêve! Écris! Te souviens-tu de m'avoir accompagnée partout dans les rues d'Outremont? Plus grande, tu me tenais la main. Mais tu n'as pas voulu me conduire plus longtemps. Je comprends. Tu avais mal à la cheville et, de toute façon, tu étais loin d'être prête à me suivre là où je suis.

Tu as vite trouvé une cabine téléphonique. Tu as voulu appeler le Dieu des rêves. Tu as composé mais, désespérée, tu n'avais plus de pièces de monnaie. Alors, te laissant esseulée à ton destin mortel, je me suis éclipsée.

Je ne suis pas revenue depuis.

Là, tu m'entends? Étrange, tu trouves pas?

— Étrange. Si étrange.

J'ai repris ma marche. Et sur la grève, une sphinge altière, comme un grand livre ouvert.

DEUXIÈME PARTIE

L'après-livre

Le livre rêvé

Mourir côté naissance, je suis venue pour ça. Pour être expulsée en plein milieu du livre.

HÉLÈNE CIXOUS,
L'Ange au secret

J'ai conçu ce projet de livre il y a longtemps. Trop longtemps. De vieilles femmes enterrées sont revenues, ridées, aux petits cheveux blanchis, me parler. De vieux hommes calcinés, chauves et à la barbe roussie, ont frappé.

Je n'ai pas répondu tout de suite. À l'instant, je n'ai pas répondu.

Ils étaient des dizaines à ma porte. Et savants.

Elles étaient quelques-unes sous mon lit, dans les garde-robes, les armoires et même dans les tiroirs.

Je n'avais plus mon chez-moi à moi toute seule. J'étais habitée de partout. Dehors et dedans.

Si j'ouvrais les fenêtres — l'été, c'était chaud —, des ombres se glissaient en tous sens.

Quant aux bibliothèques, on n'en parle pas. Les rayonnages craquaient sans cesse de leur présence.

Mais ils n'avaient plus de dents et je ne sais même plus si j'avais peur.

J'ai conçu ce projet de livre il y a longtemps. Trop longtemps. Il s'est dissous à mesure dans les marges peuplées d'un essai que je voulais parfait.

J'ai fait et refait des plans. Tourné autour du sujet, mais quel sujet? Sans écriture, il n'y a pas de sujet.

Il fallait donc une autre fois risquer le livre, grimper à sa falaise, s'agripper, gravir et une autre fois se tenir sur le grand mur du vide.

Alors, j'ai rêvé. Tant rêvé que la nuit a finalement vaincu. J'ai jeté les armes de feu. Livré à la noirceur les munitions du jour.

Le soleil est une brûlure et je suis partie très loin.

On entend dans la nuit ce mot de passe: «blessure de lucidité» et les fantômes s'éclipsent. On ne sait trop pourquoi-comment, mais on avance.

J'ai quitté les villes et m'en suis venue là-bas très loin. C'est ici. C'est en quelque sorte aux limites de la terre. Si je me penche, je tombe où la terre, enlevée de mes pieds, se met à me penser.

L'avantage me semble évident: si jamais elle explose toute, je sais d'avance. De là. Mais de savoir n'empêche pas la dissolution. Ça fait seulement qu'on se prépare un petit peu. Est-ce mieux ainsi? Qui peut répondre vraiment à cette question? Certainement pas mes fantômes. Peut-être, seulement, sur la pointe du cœur, les poètes. Mais là n'est pas mon propos.

Y a-t-il, justement, un propos?

L'essai exige un propos. Même celui biffé en cours de route.

Je reviens sur ma falaise.

Dans mon livre rêvé, la terre (le monde) me pense et je n'ai plus qu'à transcrire ses idées. La terre pense, je ne savais pas avant. Avant quoi? Je ne sais pas. C'est pas la peine de faire autrement. De faire autrement semblant.

Parmi mes nombreux plans, le plus astucieux — je ne dirais pas le plus intelligent, la foudre du bas monde me tomberait dessus —, le plan, disons, le plus fin, se dessinait à peu près ainsi:

Trois parties du livre. L'une en «Je» pour maintenant. Pour celle qui pense et qui écrit. Qui pense qu'elle écrit. Qui croit penser en écrivant. Étrange! La seconde (partie) en «Elle» pour autrefois. Pour celle qui fut petite. Celle qui fut enfant et qui se serait métamorphosée, le temps d'un livre, en une espèce de prophète de l'écriture. Elle serait venue écrire des tas de détails-souvenirs qui, à posteriori, se seraient transformés en autant d'intuitions ou de prédispositions à la chose littéraire; sorte de prismes gravés là, à travers lesquels, dans un passé magiquement entretenu, elle aurait alors et déjà connu ce qui, maintenant, par la magie d'un livre, lui était révélé. Elle aurait été cette muse antérieure grâce à laquelle le Je d'aujourd'hui et l'Autre de demain auraient tenu, sans défaillir, le temps d'un livre. Plus étrange encore! Enfin, la troisième partie se fut écrite en l'«Autre». Pour celle qui, étendue sur un tombeau-divan, dans quelque mythique passé, aurait renoncé à sa parole vide. L'Autre, est-ce possible? serait devenue, par les insondables voies de la fiction, l'égérie d'une parole pleine.

Je. Elle. L'Autre. Ainsi se divisait le livre rêvé. Comme tout rêve, il s'est défait. Ne reste que des miettes, des lambeaux. Les morts et les mortes viennent à toute heure rôder parmi ces décombres. Les morts et les mortes se nourrissent de tous les débris d'humains. De nos rejets, nos abandons. Autrement, il n'y aurait pas la mort. Autrement, tout ne serait qu'éternité. L'éternité est le rêve de qui n'a jamais rien laissé tomber. Le contraire de l'éternité n'est pas la fin de tout. Le contraire, c'est le livre qui s'écrit.

En ce plan, j'avais cru inventer une forme neuve de l'autobiographie. Une forme qui eût déjoué toutes les stratégies inventives de ce Je prétendant écrire sa vie. J'avais, dans les nuits lisses inhabitées et les jours ronds sans histoires, imaginé outrepasser ce genre et m'en glorifiais même avant œuvre. J'avais pensé, mais ça ne pense pas quand ça n'est pas écrit, trouver l'outre-genre où mentir n'a plus lieu. Comme «mentir-vrai», peut-on songer mieux?

J'avais. Je n'ai plus.

Le livre rêvé s'est dissous avant terme. Et je fus expulsée vive de ma propre histoire inventée.

Dans les marges peuplées, il y avait des milliers de petits génies d'un autre âge (et d'une aire inconnue), comme un bataillon de fourmis qui avancent et qui disent, mais la bouche fermée et dans une autre langue: «Tes parties de livre, Je, Elle, l'Autre, devront s'écrire par fragments.» Mais ils n'expliquaient rien. Cela se comprenait tout seul. Il faut avoir séjourné longtemps au pays du livre rêvé pour entendre ces choses. On a soudain le don des langues et l'esprit à l'affût des consignes. On ne craint pas les fourmis qui, de leurs bouches minuscules, pointent le style.

On n'a pas peur. On écoute. On attend. On envoie des messages un peu partout qui nous reviennent intacts. Comment peut-on espérer quelque déchiffrement ou traduction, quelque réponse, quand on n'a pas encore atteint le bord de terre et saisi à bras-le-corps la falaise du livre? Comment? Dans ces temps-là, dans ces arrière-temps, on n'est même pas déçu. On ne sait pas. On ne sait rien.

Dans l'après-coup, on a soudain peur de ce qui aurait pu se produire sinon. Mais on a peur pour rien puisque l'inéluctable mort du livre n'a pas eu lieu. Ça ne change pas grand-chose dans l'immense océan de la peur du monde car, au fin fond des choses, c'est toujours pour rien qu'on a peur.

N'empêche. C'est sur cette peur-là que le livre rêvé se dissout. Mais on ne le sait pas pendant. Le moment du grand passage est toujours inconscient.

Et innocent. On n'est jamais responsable du temps où ça ne faisait pas peur. Ni des espaces. Pas responsable des prisons que l'on ne savait pas? Tous les livres rêvés sont pris dans les mailles de cette question.

Qui peut y répondre vraiment?

Un ultime chapitre, le coup de l'après-coup, se serait intitulé «Qui».

J'enfermerai dedans le livre, lorsque sera venu le temps de l'autre falaise, un dernier chapitre, témoin et orphelin du livre rêvé.

Son destin n'est pas très heureux. Comme le petit garçon aux boucles blondes, puni de mensonge au fond de la classe et qui, de honte, pleurait sans cesse, il sera puni au fond du livre, très loin des autres. Tout au fond, le plus loin possible, sur la dernière paroi effritée, là où un peu plus ça tombe et déboule et s'évanouit dans la nuit des temps.

Mais on s'attache parfois au mensonge. Parfois, il sauve du pire et on n'a pas le choix. Quelque chose de plus fort fait que la bouche toute seule s'ouvre (ou la main qui écrit, c'est pareil — la main est le prolongement de la bouche) pour dire exactement le contraire de ce qui avait été prévu dans la pensée des limbes. Et plus que tous les autres espaces connus ou imaginés, les limbes, c'est fait pour disparaître.

On peut aussi s'attacher aux menteurs, comme ce petit garçon m'avait touchée. Pris dans la torture de sa frayeur, m'avait émue, lui qui choisissait toujours, sans le vouloir vraiment, la punition du fond de la classe à l'épouvantable vérité que sa bouche aurait fini par livrer quand les mots se seraient dépris de la pensée des limbes. Je l'aimais pour ce désarroi entretenu sans failles. Pour sa persistance à tromper ouvertement son juge avide. Pour son entêtement à leurrer tout un chacun, sauf lui-même qui avait mis au point un système impeccable dont, seul en lui-même, il connaissait les enjeux.

Finalement, j'aimais pour son courage ce petit orphelin d'une vérité dont il était (et, sans doute, demeure) le témoin solitaire.

Mais j'avais fait d'autres choix. Ce dernier ne m'étant pas tout à fait étranger, à preuve, mon entendement de ce qui se jouait là — et l'après-coup de ce livre en porte les traces —, j'avais quand même choisi très tôt de ne pas être punie à chaque matin d'une vérité gardée pour soi tout seul et dont la seule issue doit être la bouche du mensonge, sinon le corps explose. Porter trop longtemps la vie en son ventre seul, fût-elle la plus belle et grande, se mue en son contraire. L'être meurt de ne pas se livrer, descendre au monde et s'exposer. Des guérisseurs, mains gantées, ramassent les débris parmi la sphère placentaire dont les éclats rejoignent les galaxies d'étoiles mort-nées.

L'être meurt s'il n'accomplit pas la traversée du ventre au col pour venir respirer. Même le plus fort, le plus costaud, le plus promis aux immortels jours doit venir dehors chercher son air.

Sortir du ventre des limbes, venir chercher son air, car l'air trame la toile des premiers mots.

On sort, on crie, on balbutie, puis lentement, de ses mains dans l'air, on dessine les mots écrits.

Il faut oublier le temps des limbes, garder juste assez de souvenirs pour le tracé des lettres.

La musique, c'est après. On dessine d'abord la portée, puis on inscrit des notes. Comme les lettres sur les fils tendus du temps de l'air.

Puis on entre en son oreille. C'est le souvenir du chant des oiseaux.

Après on chante avec les mots.

Après l'effritement des chapitres, après le chant des mots, j'ai entendu dans la nuit une sentence de passe: «l'imagination transcendantale». Elle s'est répercutée les jours et les nuits suivants. C'était le pont. Le lien entre

notes et portées. La soudure entre sons et dessins. Elle
a résonné longtemps jusqu'au divan-tombeau. Longtemps encore et après.

La phrase était la clef de voûte d'une cathédrale
que j'aurais érigée. Une cathédrale sauvage, poussée
en pleine toundra, sans maître d'œuvre ni liturgie dedans, ni ornements ni hiérarchies. Une cathédrale
comme une bibliothèque imaginée dans un pays sans
livres.

J'ai vu la phrase avant les cathédrales et je les ai
conçues sans même y pénétrer.

Cette nuit-là, je m'en souviens.

Puis, d'autres nuits, d'autres jours où il m'était donné
d'avancer dans les phrases et de refaire ma vie.

Un dernier matin très, très tôt, on captait le souffle
de la terre entière, j'entendis, à travers lattes bleutées
et vent blanc: «ma chandelle est morte». «Ce sera pour
un autre chapitre», me suis-je dit. Pas le prochain, je le
sais. Peut-être au beau milieu de la cathédrale, quand
on a oublié les falaises et le mur et le vide. Quand on
a oublié le vertige, qu'on est mû par un destin qui
vous conduirait jusqu'à la signature d'un chef-d'œuvre.
Quand on a oublié la fragilité de la main, de la bouche, de l'esprit et du corps chutés dans ce monde en
tremblant, ne sachant rien de rien pour toujours,
jusqu'à l'interminable fin qui ne clôt jamais rien.

Alors, on se dit, prise d'humilité sans Dieu ni
dieux, soumise à sa fragilité comme l'enfant d'autrefois, dans les langes, soumise, on se dit: «Je reviens ici,
là où j'étais.» Oh! je vous en prie, laissez-moi revenir à
quelque chose qui se referme, comme un œuf ou un
jardin ou un livre ou une main! Quelque chose qui ne
serait pas tout seul exposé aux intempéries des bords
de terre sur les hautes cimes. Quelque chose qui ne
risquerait pas de chuter soudain dans les abîmes. Qui
serait fermé comme un ventre, mais d'où l'on pourrait

s'expulser, fusée glissante, le temps venu. Quelque chose comme un chapitre.

Et, pour un tour d'horloge, il faudrait renoncer à poursuivre. Apprendre à rompre. C'est le seul amour possible parfois. Rompre le fil et reprendre là où personne ne vous attend, pas même vous-même. Laisser la trame éternellement effilochée.

C'est bien ça. Ça revient. La voix chantant «ma chandelle est morte» venait tout droit de mille neuf cent soixante-huit. Elle venait de rompre des fiançailles. Pas pour entrer au couvent. Pour s'en aller rêver tous les livres du monde. Ailleurs. Pas seulement les livres des bibliothèques. Les livres de corps et de cœur tels qu'on les entend s'écrire par la voie des bouches.

Cette fois-là, elle avait trente ans.

Beaucoup plus tôt, à dix ans, elle avait fait le deuil de son premier amour. Le petit menteur blond, tout bouclé, apeuré et sans cesse puni.

Je n'ai jamais su s'il est mort ou vivant.

Qui?

Qu'importe ce qui s'est passé avant ou après
Désormais, je commencerai et finirai avec moi-même.

WILLIAM SHAKESPEARE

Fixant la page-couverture avant d'ouvrir le livre, j'avais entendu par l'oreille du dedans, celle qui parle à l'autre quand l'enquête s'annonce: «l'agent secret». Je m'étais promenée dans les pages, consciente du litige mais cherchant le mobile, alignant les indices, car autrement, comment poursuivre sans crime, comment écrire sans meurtre?

Dans cette affaire complexe, j'étais à la fois suspecte et agent secret.

Il me faudrait vivre avec ça et rêver tout le reste.

Le projet s'était conçu il y a si longtemps que la tête du livre en était toute blanchie. Vu les circonstances, je me permettais cette métaphore échevelée. En fait, depuis les origines et même avant, dans des ères immémoriales où rien n'était su des enjeux, ni des modalités de l'effraction.

C'était avant les périodes et les époques, avant les divisions stratifiées des logiques du temps.

L'agent secret devrait se débrouiller sans notes car la suspecte, elle, était sans mots.

En ces cas, on ne peut que rêver l'enquête et ses résultats. On se contente des résidus. Des miettes. Imaginant le roman policier qu'on n'écrira jamais faute de normalités ou d'évidentes criminalités.

Au fond, pour tout agent secret qui se respecte, tuer est chose banale et possible la mort, pour tout suspect. Sans peine capitale nécessairement, la vie peut s'enlever à chaque tournant.

Mais je m'égarais. Ou plutôt je me semais. L'oreille du dedans court toujours beaucoup plus vite que la main. Elle a le don de filer par-delà les âges, dans l'avant et l'après ça ne fait rien, le présent n'étant pour elle jamais stable ou fixe.

Donc, le projet s'était conçu il y a bien longtemps. De vieilles femmes enterrées ont eu le temps de revenir bien des fois. De vieux hommes aussi, comme des ressuscités.

Ils ont frappé et ce n'est pas coutume. Tout de suite, je n'ai pas répondu, comment savoir? À l'instant, chaque fois, je n'ai pas répondu. Pas étonnant qu'ils soient tous revenus en vrac au moment où je ne m'y attendais pas.

À l'heure de l'agent secret, nous dûmes les accueillir tous et sans discernement, jusqu'à celle des preuves. Mais y a-t-il seulement des preuves quand un livre est rêvé, déjà tombeau?

Ils vinrent cependant. Et partout. Sous les lits, dans les armoires et tiroirs, sur les seuils et dans les embrasures et même dans les lambris. Et dans les bibliothèques.

Ils ne parlaient pas avec des mots de tous les jours, mais exigeaient néanmoins la transcription de leurs propos. Imprécations, supplications, exhortations, ils exigeaient. Les revenants possèdent une suprême autorité du fait que les contraintes temporelles et spatiales, mais aussi les trivialités liées à la simple survie ne les touchent plus. Une autorité infaillible, car plus personne ne peut les contredire.

L'une d'eux, un soir, émergea de l'ombre comme d'une sanguine de Rembrandt et dit, dans sa longue robe à plis vaporeux qui lui donnait un air majestueux et hiératique:

«Qu'importe ce qui s'est passé avant ou après.

Désormais, je commencerai et finirai avec moi-même.»

Je reconnus Lou Salomé. Elle citait Shakespeare et me l'appropriai. J'étais Elle soudain et Lui tout à la fois. Ils étaient mes secrets suspects, je devins agent double à l'infini, comme dans les miroirs, comme dans les histoires qu'on invente pour mieux saisir là où exactement ça fuit et se démultiplie. Là où, entre éveil et sommeil, ça déambule dans les couloirs creusés par la mémoire et pourtant faits d'oubli.

Lou cherchait ses papiers, disait-elle; égarés depuis 1912. Entre cette année-là et celle de sa mort, elle les avait cherchés partout et la quête s'était poursuivie après 1937 jusque dans l'Au-delà. Elle disait: «J'avais conçu un projet de livre, il y a si longtemps. Il s'est dissous à mesure dans les marges d'un essai inachevé que je voulus pourtant parfait.» Je traduisais comme ça venait, de son allemand teinté d'hébreu.

«J'ai fait et refait des plans, entendis-je. Tourné autour du sujet, mais quel sujet? Sans écriture, il n'y a pas de sujet.»

Il lui aurait fallu risquer le livre, grimper à sa falaise, s'agripper, gravir et une autre fois se tenir sur le grand mur du vide. C'est ce que je me surpris à lui répondre, par-delà le temps.

Alors, j'ai rêvé. Tant rêvé que la nuit a finalement vaincu. J'ai jeté les armes du jour. Livré à la noirceur les munitions du feu.

Le soleil est une brûlure et suis partie. Quitté des villes et m'en suis venue là-bas très loin. C'est ici. C'est en quelque sorte aux limites de la terre, là où la terre se termine dans l'eau. Si je me penche, je tombe, la terre est une sphère. On ne chute pas parce qu'elle tourne très vite, plus vite que le temps et l'espace rassemblés dans leur course. Mais ici, elle s'arrête parfois et de façon imperceptible, et c'est pourquoi il n'y a plus de différence entre les éléments, les morts peuvent revenir, pareils aux vivants.

C'est comme dans le livre de la Genèse, les choses avaient une âme juste à les nommer et leur âme parlait. Elles prenaient toute leur place, les choses, pas encore encombrées par des milliards d'anciens vivants enfouis dans le ventre de la terre. Il n'y avait pas un seul mort dans le ventre de la terre, ni dans celui des mères, pas un seul, et les choses librement déployaient leur âme.

Petit à petit, au fil des temps chargés de morts, elles sont devenues muettes. En elles, les mots se sont pulvérisés.

Dans une aube de rêves, un jour de 1990, Lou Salomé cognait à ma porte, sans cesse. J'ouvris. On n'aurait pas dit que cela fut possible, mais cela était.

Elle avait pourtant quitté la terre par la porte de Göttingen, en 1937. Moi, j'y étais entrée par celle d'Amqui, en 1938. Pendant une seule année, nous fûmes dans la méconnaissance absolue l'une de l'autre. Quand elle quitta la terre, j'étais dans l'inexistence, c'est ce que je lui dis.

Et c'est ici qu'elle revenait, au Québec en 1990, là où on échoue du ventre de la terre, dans un rêve de livre.

J'entendais son allemand teinté d'hébreu. Elle entendait ma langue, du français amérindien qui disparaîtra dans le gouffre du temps, comme toutes les langues.

Ce qui l'obsédait, elle, pourtant sanctifiée par cinquante-cinq années d'outre-vie, c'était la perte de ses papiers. Pas n'importe lesquels: ses manuscrits fictifs, comme elle disait, ceux qu'elle avait égarés dès sa rencontre avec le Maître, en 1912.

Elle disait: «Il a fallu que je me donne à la cause et à la théorie, dès ma rencontre avec lui, dès ma venue sur le divan-tombeau. Je suis entrée en psychanalyse comme on entre au couvent. Mais j'étais Juive et chez les Juives, pas de couvent. Moi, Lou Élisabeth Salomé, je fais ce vœu au Maître, dans ma toute première lettre: "me consacrer dans tous les sens du mots à votre cause..."

«Je venais de me convertir. J'avais 51 ans. Et j'égarais tous mes anciens papiers.

«Je suis entrée en exil de moi-même.

«J'habite l'Exil. Avant et après ma mort, j'habite l'Exil. C'est un pays connu des poètes seulement. Et des Juifs.

«Je suis partie avant la solution finale. Juste avant. On dirait que je l'avais pressentie. Comme les poètes, je l'avais pressentie. J'aurais pu vivre plus longtemps, c'est entendu, je suis morte à 76 ans.

«De mon vivant, pendant vingt-cinq ans, j'ai cherché mon manuscrit. Et tous mes papiers d'écrits fictifs.

«J'ai laissé derrière moi une correspondance et des textes. Si je relis avec toi, aujourd'hui, Magdalena (elle m'appelle ainsi, comme l'une de son peuple et je souris), je décèle un motif central, il faudrait d'ailleurs regrouper tous mes textes autour de celui-ci: la libido et la pulsion de vie.

«Pulsion de vie. Je ne parlerais pas d'une obsession. Non. Il s'agit d'un motif finement ramené à chaque tournant de pensée. J'étais patiente et je ne croyais pas à la Mort. La preuve, c'est cette solution finale que j'ai pressentie et évitée.

«Je t'aime.

«Tu vois, étendue sur mon divan-tombeau, j'aurais renoncé à toute parole vide, dans quelque mythique passé, au-delà des insondables voies de la fiction, ma voix serait devenue l'Autre, sans calque ni détours, je serais devenue l'égérie d'une parole pleine.

«Le Vide, le Plein, juste à l'écoute flottante de l'Autre, tu crois que cela est possible? Tu crois que j'ai eu raison?»

Oui! Pour celle qui en toi fut petite. Pour celle qui fut enfant et qui se serait métamorphosée, le temps d'un livre (le temps d'une vie) en une prophète de l'Écriture, tu étais d'un peuple où cela est possible, un peuple où l'Autre existe vraiment, où le plein rencontre le vide, où le pays est Exil jusque dans les livres-tombeaux.

D'aucun autre peuple ne pouvait nous venir cet art de la Parole confondue au Silence. Parce que là, l'Écriture se fond à son Absence.

Alors, la pulsion de Mort se tisse avec celle de la Vie.

C'est cela qui a voulu être détruit avec la Solution finale.

Et tu le savais.

Et moi aussi je sais.

Mon pays n'est pas Exil, mais il est Rien et ça revient au même. En moi aussi, il y a une petite fille qui s'est donnée dans le livre-tombeau.

Je t'aime.

Cette enfant-là (autrefois, je l'appelais l'Infante) serait venue écrire, mais dans le Vide, des tas de détails-souvenirs (cousus de détails inventés pour que tienne la trame) qui, à posteriori, se seraient transformés en une vérité pour elle et sans cesse fuyante.

Comprends-tu?

Il y aurait des éléments épars, sorte de prismes gravés là et à travers lesquels, dans un passé fictivement entretenu, l'enfant aurait alors et déjà connu ce qui, maintenant, par la force d'un livre, lui était révélé.

Un peu comme dans les enfantements, tu te souviens? Tu donnes la mort avec la vie — tu donnes Vie à qui connaîtra Mort, ça, c'est M. D. qui l'a écrit —, tu de-

viens cette muse antérieure grâce à laquelle le Je d'aujourd'hui et l'Autre de demain tiendraient ensemble,
sans défaillir, le temps d'une vie. Le temps d'un Livre.

Les poètes savent ce Je dans l'Autre. Ce mariage. Ces
noces de papier. Et les enfants aussi. Et les Juifs. Et les
femmes. Et les maîtres de la parole pleine en plein Vide.

Mais comme tout rêve, les livres rêvés se défont. Et
comme toute vie.

Ne reste que des miettes. Des lambeaux. Des rejetons. Les morts et les mortes viennent à toute heure
rôder parmi les décombres.

Autrement, tout ne serait qu'éternité.

Et Dieu se connaîtrait, comme on connaît la mer
ou la pluie ou le vent. Comme on connaît le mouvement, Dieu se connaîtrait autrement.

L'Éternité est le rêve de qui n'a jamais rien égaré.
Même pas les manuscrits. Le contraire de l'Éternité
n'est pas la fin de tout. Le contraire, c'est le livre qui
s'écrit. Et se défait.

J'aimerais vous tutoyer puisque vous n'êtes plus.

Mais j'hésite. Vous êtes d'un autre temps, descen-
dez d'une lignée si lointaine, noble et vous m'impres-
sionnez.

Comment ne pas être émue, quand vous êtes fille
de colons largués en terre d'Amérique et de sauvages
conquis tels vos pères et que vous rencontrez cette savante dame dont l'ancêtre homonyme n'est nulle autre
que la grande princesse juive Salomé, morte en 72 de
notre ère?

L'autre nuit, Lou, vous dansiez dans vos voiles —
oh! que vous étiez séduisante et belle! — et vous de-
mandiez à votre père le roi Hérode la tête du mien sur
un plateau d'argent. Vous l'obteniez.

J'assistai seule aux obsèques de mon père Jean-
Baptiste. Mais dès sa mort, il fut sanctifié et devint le
patron de mon peuple.

Ce patronyme de mon père fit tout le rêve, car on n'a pas de patrie de ce côté-ci de la terre.

Et Freud n'était pas loin qui, un livre lourd à la main, vous faisait lecture des Tables de la Loi. L'ancêtre Moïse, allongé sur un divan-tombeau, lui parlait en silence depuis des siècles.

Vous veniez tous trois de la patrie des paroles de Silence.

Dans une alcôve, non loin de là, vous aviez abandonné à leurs écrits fictifs vos amis Rilke et Nietzsche. Comme deux petits garçons sans mère, quand ils ne dormaient pas, ils pleuraient. Ou bien peinaient à leurs plumes. Inflexible, vous alliez tirer le rideau de velours émeraude. On ne les voyait plus. On entendait seulement leur chagrin.

Moi, Magdalena, voulus tout inventer pour les consoler. Des mots parlés, des mots écrits, des mots bercés, je fis tout, y compris créer deux autres petits garçons, pour jouer avec eux et les consoler. Je mis au monde deux fils qui eux, ne pleuraient pas sans cesse, qui riaient même le plus souvent et purent, si tendres, guérir vos petits frères largués dans la peine des plumes.

Puis on n'y pensait plus, comme dans les rêves.

C'est tellement rempli d'éternité, les rêves. Ça n'a pas de frontières, c'est éternel. Ça écrit les seules autobiographies possibles, et toutes les autres, qui évitent l'éternité du rêve, qui renient son flou et son vide et qui déchirent la parole du silence, sont mensongères. Cousues de fil blanc.

Quand la scène se passe, vous avez 51 ans. Les deux tiers de votre vie sont derrière vous. Vous entrez en psychanalyse comme on entre au couvent. Dans votre culture, il n'y a pas de couvents.

Vous, Élisabeth Salomé, Frau Friedrich Carl Andreas dite Lou, vous entrez en vous-même. En exil de vous-même.

Vous deviendrez sage et vous n'écrirez plus.

Aux antipodes de la psychanalyse, la fiction.

Vous le saviez. Moi aussi.

Parties du même centre, nous sortons par un autre chemin.

Vous étiez venue sur cette terre par la porte de Saint-Pétersbourg. Vous en sortez pas celle de Göttingen. Jeune femme, vous aviez connu une révolution, puis une guerre. À la seconde, vous n'avez pas survécu. Comme tous les vôtres, vous saviez l'exode autant que la manne.

De ma vallée enfouie au non-pays, comment moi, petite, ai-je su? Et compris?

L'histoire est remplie d'accidents.

Puis, femme mûre, un soir d'hiver à Vienne, la «peste» sur vous s'abattit. Vous en fîtes votre chose. Votre cause. Vous êtes devenue, on l'a dit et je sais, excellente psychanalyste.

Le «Maître» n'a pu prévoir l'issue de la «peste» au pays des sauvages.

Dans le rêve où je vous vis, mais j'étais là aussi, une femme est venue, étrange, que nous ne connaissions pas et qui dit: «Vous comprendrez, amies, vu mon état de poète et mon désir, intermittent, de devenir psychanalyste, combien l'autre nuit, comme souvent, je me sentis si proche de vous.»

Lou, vous étiez bouche bée, moi aussi. Nous avions le même âge: vous, Elle, moi — l'inconscient n'est-il pas éternel?

Je veux dire qu'il est sans frontières et que nous nous parlions.

Je vous parlais.

Lou, je te parle, entends!

Où sont passés tes écrits?

J'eus beau tenter d'ouvrir le coffre, il m'a semblé scellé pour l'éternité. Je suis entrée alors dans le tombeau des dictionnaires et tu n'y étais pas. J'ai scruté les monuments. Tes noms n'y étaient pas.

Je n'ai pas voulu t'inventer un monument dans ce tombeau rêvé — divan, coffre, lit, livre — je n'ai pas voulu.

Je t'ai prise dans mes bras, tu étais devenue une toute jeune fille et t'ai soufflé à l'oreille ceci (tu écoutas, flottante, toute la nuit).

(Elle me regardait, incrédule. Apeurée, même. Comment la rassurer quand, seule dans la nuit, je veux dire seule à parler, les autres dormaient ou bien lisaient ou bien étaient plongés dans leurs soliloques silencieux, comment prouver ce que j'étais en train d'avancer quand, marchant à l'aveuglette sur un chemin tout à la fois étrange et familier — ainsi va l'inconscient —, je n'étais absolument certaine de rien? Comment expliquer, elle voulait, je le voyais à son regard seul, que j'explique et démontre, comment raisonner quand je n'avais pour seule garantie que le vide du grand chemin et d'autres petits chemins rassurants conduisant au plus grand et puis le vide encore?)

Je pris sa main. Oh! la main de Lou dans la mienne et ses larmes, enfin, baignant ma joue collée à la sienne! Mais, étaient-ce ses larmes ou les miennes? Nous ne savions plus. Je l'entendis penser. Ça disait: «Enfin, nous ne savons plus.» Je pensai qu'elle était prête à danser, sentis de légers mouvements du corps en musique. Mais il était trop tôt. Trop tôt.

Mue par une ordonnance sans mots, je me dirigeai vers le coffre. J'y posai ma tête, l'entourai de mes bras, le palpai. Et sur cet oreiller soudain d'ardoise douce, je sentis des écritures, balayai de mes doigts toute poussière et vis dans la nuit les lettres dessinées, mes yeux étaient de chat. Cinq lettres surgirent. Tu les vis comme moi: poïen. Elles étaient de lumière. Cette phrase en même temps sortit de nos bouches: «Je ne comprends pas.»

Il y eut dans l'obscur, ce théorème simple (c'était toujours l'obscur et toujours le passé): Théorie et écoute du Maître s'équivalent *et* s'opposent à pratique et parole de l'artiste. En même temps, et c'était tout limpide: artiste et analysant s'équivalaient. Devant ces quatre termes en chicane — on pouvait voir luire entre eux les éclats d'armes —, nous nous vîmes, pensives. Puis, ils s'évanouirent dans la nuit des temps. «Il était trop tôt», disais-tu. Trop tôt.

J'ajoutai pour toi, mais pour toi seule: «Je reviens d'une île d'illusions. Et d'une forêt noire de naïvetés. Je nageai, puis marchai, que dis-je, volai, innocente, dans le temps, dans l'espace de ces eaux, ces airs-là.»

«Écoute, Lou, continuai-je. Je voulus devenir psychanalyste. Souvent. Par intermittence. D'une tranche à l'autre. *Au-delà du temps des séances.* Et j'y renonçai pour écrire. Pour demeurer fidèle à toutes les écoutes. Celle de la bouche humaine comme celle de la bouche des pierres. À cause de la bouche des êtres et des choses au fond de mon oreille. Parce que des lèvres d'étoiles, aussi, y avaient laissé choir leurs mots d'astres.

«Parce que.

«Quand tu quittas la vie par la porte terrestre de Göttingen, sur un continent sauvage où la peste ne passerait pas, une autre porte allait s'ouvrir par laquelle, bientôt, j'entrerais, traînant avec moi un poids si léger. Il se dissout à mesure. Et ne revient jamais au même. Fait de mots tombés, on dirait, des galaxies lointaines. Tombés à mesure. Des mots d'avant la loi et d'avant toute table. Dictés par personne. Qui dans l'instant se pulvérisent. Des mots célestes, mais en chair. Des mots majeurs dans une langue mineure. Sur une portée flexible accueillant aussi bien l'atonal que le baroque. Avec mille fils tendus de l'archaïque à l'inédit. Dans une contrée à la fois jeune et vieille. Vierge aux cheveux blanchis. Ouverte.»

Tu disparus un instant. Et un instant, dans la chambre, plus rien n'était. J'eus peur. Très peur, car je suis humaine. Normalement humaine. Même la nuit. Mais tu revins. Oh! Lou, tu es revenue près du coffre scellé et tu m'ouvris les bras! Car forte, tu étais et de la force j'avais besoin. On a mangé et lu à petites bouchées ton journal et ta correspondance avec Freud. Tes romans, tu ne voulais pas que je les lise ou relise. «Pas tout de suite, disais-tu. Il est trop tôt.» Je répondis seulement: «Oui, trop tôt.»

Freud s'est alors fâché. Il a dit: «Était-ce une raison pour en faire un théorème? Et un sujet de livre? La trame d'un essai?»

Était-ce une raison?

Nous n'avons pas ri. D'abord, nous l'aimions. Oh! il nous était si cher! Et puis, il était encore trop tôt.

Je poursuivis, toujours chuchotés à ton oreille, ces mots:

«Pour te parler, Lou, j'ai moi-même abandonné pas mal de choses. Et d'êtres. Je les nomme en second. Ils me sont venus après. Seuls quelques objets ont survécu au naufrage du don. Quelques meubles. Il faut bien se nourrir, s'asseoir, dormir. Quelques livres, ceux-là seuls que je voudrai relire. Il faut bien poursuivre ce mariage amoureux des mots. Quelques tableaux. Le regard n'est pas toujours de chat dans la nuit. Des bijoux et vêtements, mais très peu. Pour les mailles qui tiennent entre eux les temps. Puis des vases, des verres, des plats, des assiettes. Et des coffrets de lettres. Et des cahiers regorgeant de phrases avec lesquelles, petites rangées de points tricotés, je t'écris. Et des photographies. Les visages, les lieux chéris ont aussi échappé au naufrage du don. Pour te parler, fière princesse, il ne me fallait pas le total dénuement. Vers toi, je devais, tremblante, avancer dans mes voiles. Car autrement, tu ne m'aurais même pas aperçue.

«Et comment pourrais-tu, toi, m'entendre sans me voir?

«Et puis, aussi, j'ai dû venir très loin sans jamais me retourner comme la femme de Loth. Très loin. Mais c'est tout près d'ici.

«D'ici où je me retrouve à songer, te parlant.

«Un jour, mais on ne sait jamais lequel, il faut briser le pacte pour la "parole d'écriture". Je cite un ami, Maurice Blanchot. Tu n'as pu le connaître, il était "trop tôt", comment t'en ferais-je reproche? Le pacte d'une oreille à l'autre. Pour les retrouver toutes, les paroles, au creux de l'autre oreille, radicalement seule et brisée. Elles se prononcent quand on accepte de ne plus voir. Il faut parler sans être vu. Sortir de la scène de tous les visibles, cela qui voit et cela qui est vu, pour entendre les bribes d'êtres, les bribes de choses tombées on ne sait trop comment dans la crypte du rêve.

«La "parole d'écriture" ne s'explique pas dans les termes du logos. Elle est injustifiable. Sous la dictée des dieux éteints, il n'y a plus grands mots. Même toutes les langues sues, à supposer que je les maîtrise toutes. Restent les choses. Si tu veux, les êtres dans les choses.»

Tous les objets pêle-mêle, amassés depuis des lustres, défilent devant nous. Je les reconnais tous. J'en avais tant oublié, c'est à peine croyable. Je regarde, je contemple, c'est tout. Je ne dis rien. Je ne classe ni ne répertorie.

Lou sort de son mutisme, prend son air de sœur aînée et, autoritaire, me dit: «Il faut faire le ménage dans tout ça. Il faut ranger, trier, nettoyer, garder, jeter.» Elle semble vouloir se mettre à la tâche. Se revêt d'un tablier. Attache ses cheveux grisonnants. Va chercher un plumeau de son temps.

Je regarde un vase qui a triplé de volume depuis mon abandon. Les choses se meuvent quand on ne les voit plus. Cet objet, le plus beau d'entre tous, était demeuré propriété d'un «ange gardien» s'échouant «trop tôt» dans mon récit. J'en reparlerai le temps venu. Pour l'heure, l'immense vase de Provence (c'est là que nous l'avions acquis, l'ange gardien et moi) capte toute mon attention, donne sens aux autres objets défilant là et je me rêve en lui.

Je dis à Lou qui s'apprête, Maîtresse, à œuvrer:

«Tu ne peux rien changer à ces objets. Tu ne peux altérer le désordre des choses. Elles doivent parler toutes seules. C'est un rêve. Nous sommes dans un rêve et tu es dans le mien.»

On dirait qu'elle ne me croit pas. Je m'évertue à découdre le rêve dans le rêve. Lou me regarde. Je dis: «C'est le rêve en abîme.»

Lou s'éclipse, revient, trébuche, se ressaisit et dit, comme en un chant psalmodié, en russe, puis en allemand, puis enfin en hébreu (j'entends tout, comme au-delà des langues):

«Il était beaucoup trop tôt. Il fallait descendre dans les replis de la fiction. Puis remonter dans les strates d'abîmes jusqu'au sol où ça se perd dans l'oreille de l'autre. Il fallait mourir dans sa propre mort. Il fallait un Maître-Dieu pour remplacer le Maître-Lucifer qui régnait sur nos temps. Il fallait l'exode d'une terre à l'autre. L'exil d'un livre à l'autre. On ne pouvait écrire la parole. Elle était morte, la parole. Dans tous nos regards et dans toutes nos oreilles, la "parole d'écriture" était morte. Elle s'en allait en nous vers sa propre mort. Il le fallait. Partout en nous collaient comme le fer à la chair des lettres brûlées vives, témoins de son extermination. Nous les captions. Nous avons dû refermer tant de livres pour assister, impuissants, à son meurtre sacré. L'holocauste n'est pas une fête. L'holocauste est obscène. Hors de tout. Hors des livres. Et je ne pouvais plus danser. Il fallait, pour un temps, tout penser hors de la danse, tu comprends?

«J'ai quitté la terre par la porte de Göttingen. Juste avant la mise en acte luciférienne. En 1937. J'ai écrit une lettre à mon maître Freud. Jamais postée. Aussi bien. Je disais toute ma désespérance. Toute mon entrevoyance de l'ultime destin des lettres calcinées. De leur résurrection, un jour, ailleurs, très loin. Et autrement.

«J'ai marché longtemps dans les enfers avant de revenir chez toi. Tu as raison. Laissons parler les choses quand elles deviennent objets. Fermons, fermons les yeux. Détournons-nous de ce corps allongé dans la pénombre. Et descellons le coffre. Tiens!»

Elle s'évanouit. J'ouvre.

Il n'y a rien. Dans le coffre, plus rien.

Il est encore trop tôt.

Mais Lou savait. Quand j'ai lu ses romans, après le journal et la correspondance avec Freud, mais longtemps avant le rêve final, c'était, en toutes lettres, écrit.

❏

Qui sommes-nous?

La terre est remplie de langage. Et longtemps après — les eaux, l'air et le feu — tout bruit.

Qui es-tu?

Post-scriptum

Je voudrais faire un livre qui rêve

LAWRENCE DURREL,
Le Quatuor d'Alexandrie: Justine

Cela faisait plusieurs personnages pour une même personne, jusqu'à créer des marges inaccessibles au sein même du rêve, voilà pourquoi l'écriture «tous les matins du monde» et pourquoi chaque livre «doit finir en mourant».

Le signal fut donné quand la mer se mit à envahir les rives, jusqu'à gruger les grèves où l'on marche et se baigne, à remplir les battures, prés salés et même le jardin.

La mer était devenue une telle menace qu'il nous fallait rentrer, regarder à travers les fenêtres entrouvertes cette marée qui n'en finissait plus de monter, exhibant la bouche ouverte du monde, comme les assassins ou les guerres qui tuent.

Ma mère, avec peine, contemplait ce désastre. Elle voulait sortir encore, calmer les éléments, elle avait le courage des mères et le chagrin. «Il ne faut plus sortir, lui dis-je en chuchotant, il nous faut nous terrer au-dedans, refermer la maison comme le livre.»

Nous sommes restées ensemble à nous souvenir des naissances, entendant cette furie marine venant mourir à notre seuil protégé.

Ensemble, nous rêvions tous ces corps sortis de nos ventres, leurs bouches avides tournées comme des yeux vers nos regards. Nous avions donné tant de vies que la gueule du monstre liquide ne nous effrayait plus.

N'entre pas qui veut dans les demeures sacrées!

J'eus le goût d'une dernière confidence. Après, nous devions repartir toutes deux, la vie est si courte.

Mais je ne savais plus qui d'elle ou de moi parlait. «C'est pareil, me dit-elle, on ne sait plus très bien dans ces cas-là.»

Il y a tant de jours qui remontèrent comme des instants perdus, même les plus savoureux et surtout, ne furent pas perçus dans la suite savourée des instants.

On ne comprend pas autrement. Autrement, on ne saisit jamais. Toutes les transes et tranches pour cela, simplement. L'écho de nos voix se répercutait, devint plus fort que les rugissements de la louve liquide au-dehors, l'écho de nos voix doubles, comme dans des miroirs d'oreilles quand on descend à l'infini les marches, traversant sans cesse des couloirs de mots, quand la maison se peuple, devient plus vaste que la terre avec ses océans.

«Quelle destinée! dit ma mère — ou bien était-ce moi? — Rien d'autre pour la résoudre, de toi à moi — ou le contraire; pour que se place l'univers, tout l'univers, de l'insecte à l'étoile, de la poussière à l'astre.

«Parfois, on vit le temps d'une lettre qui se colle aux parois et adhère, totale. On ne parle presque plus. Le temps peut pleuvoir et rugir des océans chavirés dans les blancs vents d'été ou d'hiver, on capte cette lettre, puis on la décachette, chaque phrase nous porte. Entre les lignes, elle dit: je m'occupe de tout.»

Nous sommes au chaud, bien installées dans les fauteuils, ma mère est enroulée dans son châle d'automne et la mémoire s'ouvre par ses portes et fenêtres.

La furie a cédé. Bientôt, nous sortirons encore.

J'allume le feu et prépare une infusion au tilleul, c'est ce qu'elle aime et moi aussi.

Elle dit: «J'ai gardé le brouillon d'une lettre envoyée au professeur Freud, juste après mon mariage et avant ta naissance. C'était en 1934. Lis. Dis-moi ce que tu en penses.»

Je bois mon tilleul, rêve le feu et lis, les larmes coulent toutes seules. Il est des mots d'avant naissance qui vous ont mis au monde, mais on ne savait pas:

«Herr Professor. Pendant qu'avec vos amis de la Cause, vous vous réunissiez à Vienne avant la Grande Guerre, mes grands-pères, au fond d'une vallée lointaine appelée Matapédia, abattaient des arbres et construisaient des cabanes en bois rond. Mes grand-mères, frileuses et enjuponnées, attendaient, dans leurs petites maisons glaciales du Bas-du-Fleuve (c'est le Saint-Laurent, au Québec), des rejetons accrochés à leurs seins plantureux, qu'on vienne les chercher pour vivre avec leurs hommes dans les nouveaux villages de colonisation. Tel était le vœu des évêques et de Rome.

«Elles étaient fortes et courageuses, mais avaient peur de tout: voleurs de grands chemins, quêteux inopportuns, sauvages insoumis, loups s'attaquant aux poules et aux enfants.

«Dans les jours sombres d'esseulement, les divans-tombeaux n'existaient pas, les havres de parole pleine insoupçonnés. J'ai reçu en héritage, dans les coffres des greniers par moi visités, des bribes de mots griffonnés à la hâte — certaines savaient écrire —, lettres sans destinataires, mais lettres quand même; elles s'adressaient toujours à quelqu'un, on ne sait jamais qui.

«Certains jours de plus grande misère, c'est dans des boîtes noires et froides, isolées au fond des églises, qu'elles s'en allaient murmurer, à l'oreille de vieux hommes gardiens de leur salut, des lambeaux de secrets, copeaux des vides paroles qu'elles avaient portées seules, comme les enfants mort-nés, le long des nuits.

«Je suis née de cela.»

Puis elle poursuivait, racontait son enfance, sa vie de jeune femme et signait.

Elle n'eut pas de réponse.

«Personne ne m'a répondu avant cette nuit d'hier et ce jour d'aujourd'hui, dit ma mère, personne.»

On parla encore un petit peu, mais surtout, on écoutait la mer qui se retirait, retournait dans sa coque d'algues, de chaînes d'ancres et de naufrages, le danger reculait.

Rassurées, on sentit la faim venir. Ma mère partit à la cuisine préparer le repas. J'avais beau être une femme d'un demi-siècle bien sonnant, elle tenait à cette tâche, était née pour me nourrir, c'est ce que je lui entendis penser dans son grand tablier.

Je dressai le couvert, alimentai le feu, ouvris le vin de fête et nous servis un verre, trinquant avec ma mère à ce jour qui s'écoulait paisible après tant de remous, au soir qui s'annonçait si calme après l'effroi.

Avant le repas, je sortis sur la grève, mon verre à la main, buvant et marchant lentement je songeais, revoyant en esprit les livres passés et *le livre à venir*, fixant cette énigme jamais résolue: «Comment vivent-ils, ceux qui n'écrivent pas, comment peuvent-ils entrer dans le matin, traverser tout le jour chaque jour, s'endormir chaque soir sans livre rêvé à l'horizon de l'aube, comment?»

Comment peut-on vivre sans écrire?

Je revins auprès de ma mère.

Nous avons mangé, bu tout le vin qui restait, avons parlé de choses et d'autres, mais surtout d'écriture, livrant autour d'elle nos secrets les plus chers; la soirée était douce.

Entre nous, l'intimité n'était ni inquiète ni étrange.

Après le repas, retournées à nos fauteuils près du feu, je dis à ma mère: «Tu veux que je te lise ma lettre posthume à madame Fa?»

D'emblée, elle dit oui, avec un sourire pour cette confiance, mais une inquiétude, quand même, au regard: «Tu n'es pas morte... pourquoi *posthume*?»

— Non, bien sûr, répondis-je. C'est elle, madame Fa, qui est morte et depuis très longtemps...

Bien calée dans son fauteuil, les pieds sur le tabouret, le châle recouvrant tout son corps, ma mère écouta la lettre posthume. Elle était attentive, silencieuse — ce silence me parlait avec tant d'éloquence! — et acquiesçait parfois avec des petits «oui», des petits «Mmm...» ou bien me demandait de relire une phrase, un paragraphe quand son esprit revenait de ses ailleurs folâtres.

Allongée sur le divan, ainsi que je m'installe toujours pour lire, j'entendais la marée revenir — plus calme, cette fois, elle montait normalement —, je lus ma lettre, ajustant mes phrases au rythme de ses vagues qui venaient mourir au ras de notre jardin sans toutefois disparaître:

«Je vous ai vue une seule fois, madame, mais quelle fois! je n'oublierai jamais. C'était à Paris, en 1961. Je venais d'avoir vingt-trois ans.

«Dans ma tête, je vous appelais madame Fa et c'est ainsi que, désormais, je vous nommai.

«Comme on cherche un sentier de déroute, parce qu'on ne veut plus des chemins jusque-là empruntés, j'allai vous rencontrer.

«Vous étiez psychanalyste de renom et grande vous étiez, puisqu'en me hissant jusqu'à vous, je n'eus pas le vertige. Ce sont toujours les impuissants qui jouissent du vacillement des faibles. Vous n'aviez pas ce problème-là. Avec vous, grimpant sur la falaise où,

altière, vous vous teniez, je me sentis grande et forte.
Et vous aimai d'emblée.

«Elle était double, ma quête du sentier de déroute
— n'en est-il pas toujours ainsi quand l'énigme,
seule, à la rescousse est appelée? —: celle de la bouche, au ventre, ouverte blessure et qui n'a plus ses
mots et l'autre, celle qui s'ouvre vers les mots savants. Bouche poétique dans la crypte souterraine
du corps opaque. Bouche didactique vers une science
(un art?) dédiée à l'énigme, vouée à la pensée souterraine.

«À l'époque, je croyais réconciliables ces deux bouches. Je vous le dis, vous soumis mon double projet.
Vous écoutiez comme je n'avais jamais encore *vu*
écouter. Par vous, madame Fa, je découvrais un
monde où les paroles tombent de haut sans jamais se
casser; où, par la magie seule de l'écoute, la moindre
miette de parole chutée devient objet unique (unifié,
reconstitué), comme les morceaux d'enfant-lambeaux
sur les parois de la falaise se retrouvent et se recollent,
et deviennent soudain corps entier. Petite cathédrale
au fond nocturne des gouffres qui, d'un souffle, s'illu-
mine et dans laquelle un peuple entier d'enfants perdus revient prier.

«À cette seule révélation — et elle fut si soudaine et
si définitivement prégnante —, vous comprendrez
l'évanouissement de mes projets. Mais il est bon, madame Fa, aujourd'hui où je viens vous penser, que je
me remémore certains de mes propos d'alors. C'est
pour la suite de mes pensées sur l'écriture. C'est pour
la suite de l'écriture. La suite de la vie.

«Sur le sentier des premières énigmes, je voulais
donc guérir la bouche blessure et retrouver, tout au
fond de la crypte, le flot transparent des mots, source
des mots du rêve, efflorescence du poème. Je voulais
écrire et vous le dis.

«Et sur l'autre sentier, celui de l'énigme savante, je voulais devenir psychanalyste, entreprendre, peut-être, une formation d'études philosophiques et cliniques.

«Entre ces deux voies qui jamais ne s'épouseraient en un seul chemin, je le pressentais bien, j'avais tout de même conçu une passerelle, dont je vous entretins — je revois encore votre sourire généreux — qui avait pour nom «imagination transcendantale». C'était l'écriture récente d'un mémoire sur Emmanuel Kant qui m'avait conduite là. L'un des piliers s'érigeait du côté de "l'entendement pur"; l'autre, du côté de la "sensibilité pure". Ainsi, la contrée de l'énigme savante et celle de la bouche blessure allaient pouvoir mutuellement se comprendre. Ainsi, l'imagination, petit pays de l'écriture transcendante, allait permettre le déchiffrement de deux séries de lettres mortes: celle de la langue de bois du didactisme et celle de la nuit obscure du corps poétique.

«Tout ceci était pour moi mystérieux et rassurant, problématique et lumineux. Ce l'est encore aujourd'hui. Et si cela demeure, après toutes ces années de décryptage des lettres négatives sur le monument du corps opaque, c'est qu'une oreille déjà, la vôtre, madame Fa, avait entendu mon seul rêve du monde dans les mots. Aucun heurt, aucun bonheur, aucun concept ni aucune galaxie n'échappait à ce rêve. D'emblée, vous l'avez su et d'un regard seul, entendu. Vous aviez entrevu tous les sentiers s'ouvrant comme des livres de l'autre côté de la passerelle imaginaire.

«Oh! que je vous en sais gré! Je ne retournai pas chez vous. Cet entretien, à lui seul, valait bien une tranche. Un transfert n'a peut-être pas besoin de présence continue puisque vous m'avez accompagnée depuis. Bien sûr, je n'en savais rien alors. Mais je sais aujourd'hui, c'est normal. On sait davantage à l'orée de la dernière tranche de vie.

«Mais j'aimerais, hormis cet entendement qui ne peut prendre acte que dans les livres dits de fiction, j'aimerais me remémorer certaines images de cette journée-là. Je n'ai d'autre justification qu'un agrément certain à venir sceller par les mots du livre ce pacte secret que, grâce à vous, je fis aux "paroles d'écriture" quand je vis, d'un regard jusque-là éteint, l'acte d'écoute mener tout droit à la lumière des paroles, jusque-là d'ombre.

«Dit-on merci à une Dame de lumière, sinon en signant une lettre posthume?

«Dans ma mémoire de vous, chaque fois que je vous pense, il y a toujours ces deux jeunes hommes amis, québécois comme moi, morts peu de temps après notre rencontre, l'un sur vos routes, d'un accident et l'autre sur les miennes, d'un suicide. Le premier, promis à un brillant avenir de psychanalyste, m'avait incitée à vous consulter. Quant au second qui avait, lui, le don des langues et se prenait pour Zarathoustra, il m'avait fait entrevoir, à travers labyrinthes d'enchantements et de frayeurs, l'univers à la fois terrifiant et fascinant de la folie.

«C'était avec l'image de ces deux alliés que je me rendis chez vous, un après-midi d'automne qui ressemblait à cet aujourd'hui.

«Je me souviens de la longue marche jusqu'à votre porte. Mais ni de la rue ni de votre numéro. C'était dans le quartier latin, de ça je me souviens.

«Je me souviens aussi de l'attente dans l'antichambre remplie de livres, de fauteuils, d'objets luxueux et grande comme les grands salons de mon pays.

«Et de l'ange gardien m'accompagnant qui, plus tard, devint un démon et, plus tard encore, se convertit à votre Cause pour laquelle, aujourd'hui, il écrit des livres savants.

«Ainsi, forte d'une jeune trinité masculine, je m'en venais vers vous, riche de projets et promesses.

«Vous m'avez ouvert la porte, m'avez souri en me tendant la main. Puis, vous m'avez précédée dans votre sanctuaire, m'indiquant un fauteuil sur lequel je pris place, regardant le divan qui ressemblait à celui de Freud.

«Comme il m'arrive toujours en ces cas, je fus d'abord une «Alice au pays des merveilles», médusée, contemplant objets et livres qui me parlaient à votre place.

«Avant de vous asseoir, vous avez prononcé d'un ton aimable cette phrase — la seule d'ailleurs qui me soit restée intacte: «Et ce jeune homme dans la salle d'attente, n'a-t-il jamais songé à consulter?» «Il n'y avait pas — songé —, vous ai-je répondu, il vient ici pour moi.» Mais, sorcière vous étiez, je sus à votre œil malicieux et reconnus l'augure des années plus tard. Le «jeune homme» en question se destinait à tout autre chose qu'à mon accompagnement, mais il n'en savait rien. Il venait de lancer un premier signal silencieux. C'est lui qui devint psychanalyste.

«Les choses, d'elles-mêmes se retournaient. Pour ma part et à mon insu, je devins, pendant quelques années, son ange gardien.

«Assise sur votre bureau, les jambes dans le vide à la mode des jeunes — cela m'étonna, vous étiez d'un âge respectable, pour tout dire je vous trouvais vieille, vous deviez avoir mon âge aujourd'hui —, vous m'avez fixée avec un sourire de douce sphinge, tel était votre rôle.

«Le mien consistait à parler, ce que je fis une bonne demi-heure. J'ai oublié les mots exacts. Mais j'ai énoncé mes projets les plus chers qui traçaient dans cet air libre entre ma bouche et votre regard à l'écoute deux portées me semblant, déjà, contradictoires et irréconciliables: celle, aux notes bien tassées sur les lignes et qui faisaient résonner les études sur l'imagination transcendantale

avec, en parallèle, une éventuelle formation de psychanalyste; et l'autre, avec des notes orphelines dessinées
dans le vide, faisant entendre quelques sons autour d'un
motif qui avait pour nom, mais comme un nom sans
contenu ni sens palpables: le désir d'écriture.

«Pendant que sur les sentiers obliques de la pensée
muette déambulaient mes trois compagnons, vous
m'avez écoutée jusqu'au seuil des choses tues, ne quit-
tant pas votre regard rempli d'oreilles vibrantes et de
lèvres rieuses.

«Vers la fin, vous m'avez dit: «J'aimerais travailler
avec vous.»

«Le mot travail m'avait étonnée. Il était tombé dans
cette partie d'âme en friche, là où n'était pas encore su
que guérir veut dire œuvrer. Là, dans ce coin sauvage
et inhabité, dans cette terre en friche qui un jour, mais
beaucoup plus tard, seraient accueillies les paroles
d'ombre par le seul travail des mots.

«Par quelques mots et combien de silences germe-
raient au fil des ans toutes ces *paroles d'écriture*, sur
les strates des vérités aperçues, puis enfuies. D'une fiction à l'autre.

«Quand vous m'avez reçue, madame Fa, il était su
entre nous ce que ni les mots du discours ni l'oreille
interprétative n'étaient habilités à comprendre et que
seule la parole d'écriture, dans cette zone incertaine
nommée fiction, allait lentement connaître. Mais
connaître si patiemment et de façon tellement émiettée
que tous les savoirs constitués, devant elle, se dissolvent en émettant des signaux que, de temps en temps,
le poème capte, en passant.

«Je vous salue, madame Fa, et c'est un adieu
puisque vous n'êtes plus. Avant la fin, j'aimerais ajouter ceci:

«Plus tard, beaucoup plus tard, à Montréal, je rencontrai le Dieu des rêves avec qui j'entrepris deux ex-

traordinaires voyages au pays des énigmes. À lui, je n'écris pas, il est toujours vivant — puisse-t-il le demeurer très longtemps; le destin de ces lettres n'est-il pas toujours outre-tombe?

«Chacune d'elles ne doit-elle pas finir en mourant?»

Ma mère s'était assoupie. Elle m'entendait maintenant dans ses rêves.

Le feu lentement s'éteignait.

Demain, nous allions quitter cette maison.

Au son des vagues, je me préparai à cette dernière nuit.

Et me glissai dans le rêve du livre comme on rêve un enfant.

Table

CET OUVRAGE
COMPOSÉ EN GARAMOND 12 POINTS SUR 14
A ÉTÉ ACHEVÉ D'IMPRIMER
LE DIX-SEPT FÉVRIER
MIL NEUF CENT QUATRE-VINGT-QUATORZE
PAR LES TRAVAILLEURS ET LES TRAVAILLEUSES
DE L'IMPRIMERIE GAGNÉ
À LOUISEVILLE
POUR LE COMPTE DE
VLB ÉDITEUR.

IMPRIMÉ AU QUÉBEC (CANADA)